au Docteur Pie[illegible]
Renelique

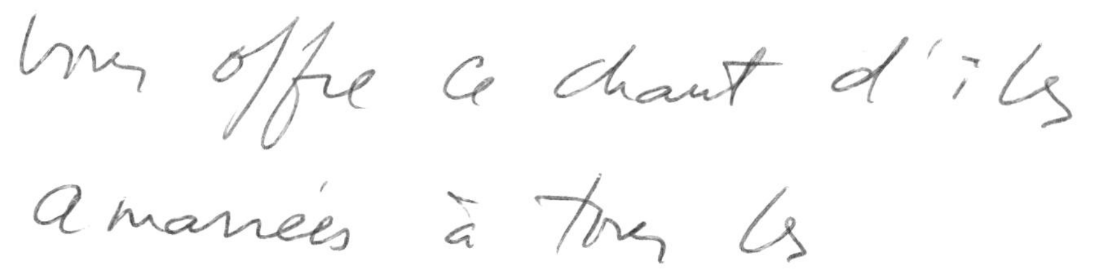

avec mon amitié, je
vous offre ce chant d'îles
amarrées à tous les
continents...

Joël Des Rosiers

Juillet 98
Chicago

Théories Caraïbes

Théories Caraïbes

Poétique du déracinement

essai

Joël Des Rosiers

Triptyque

La réalisation de cet ouvrage a été rendue possible grâce à des subventions du ministère de la Culture et des Communications du Québec et du Conseil des Arts du Canada

Conception graphique: Gianni Caccia
Typographie: Martel En-tête
Illustration: Philippe Thomarel

Distribution:

Canada
Diffusion Prologue
1650, boul. Louis-Bertrand
Boisbriand (Québec)
J7E 4H4
Tél.: (514) 434-0306
Téléc.: (514) 434-2627

Europe francophone
La Librairie du Québec
30, rue Gay-Lussac
75005 Paris
France
Tél.: (1) 43 54 49 02
Télec.: (1) 43 54 39 15

Dépôt légal: B.N.Q. et B.N.C., 4e trimestre 1996
ISBN 2-89031-263-1
Imprimé au Canada

2200, rue Marie-Anne Est
Montréal (Québec)
H2N 1N1
Tél. et télec.: (514) 597-1666

Théorie : du grec *theôria* signifie

I

1. action de voir, d'observer, d'examiner. Voyager pour voir le monde au lieu de rester pour voir les fêtes ;

2. action de voir un spectacle, d'assister à une fête, d'où la fête elle-même, fête solennelle, pompe ;

II

1. députation des villes de Grèce aux fêtes solennelles d'Olympie, de Delphes et de Corinthe, cortège, défilé, groupe d'hommes en mouvement ;

2. fonction de théore ;

III

... à partir de Platon

1. contemplation de l'esprit, méditation, étude sur quelque chose ;

2. spéculation théorique, théorie.

Bailly, *Dictionnaire grec-français*

Des extraits de ce livre ont été publiés ailleurs : sous la rubrique I. Xénophilies : le chapitre 1 a paru dans Collectif Paroles n° 33, 1987 *; le chapitre 2 a paru dans* Haïti Perspectives n° 2, 1987 *; le chapitre 3 a été publié dans* Vice Versa n° 21, novembre 1987 *; des extraits du chapitre 4 dans* Lettres québécoises, hiver-printemps 1992 *; le chapitre 5 est une communication prononcée au* congrès du C.I.E.F, Strasbourg, 1992 *; sous la rubrique II. Prose Combat : le chapitre 7 a paru dans* Collectif Paroles n° 33, 1987 *; le chapitre 8 a été publié dans* Brèves littéraires, hiver 1992 *; le chapitre 9 dans le catalogue de l'exposition* Altérités, printemps 1994 *; le chapitre 10 a paru dans* Ruptures, n° 8, janvier-mars 1995 *; le chapitre 11 dans* Dérives nos 53/54, 1986/1987 *; des extraits du chapitre 12 ont été publiés dans* Moebius, n° 62, 1995 *et ont fait l'objet d'une communication à la Rencontre québécoise internationale des écrivains, mars 1996 ; des extraits du chapitre 13 ont fait l'objet d'une communication au colloque Marronnage, à l'Université York, Toronto, 1996 ; sous la rubrique III. Dialogues : le chapitre 14 rassemble une série d'entretiens avec Michel Dongois,* L'Actualité médicale, janvier 1991, juin 1994, mars 1995 *; le chapitre 15 a paru dans* Callaloo, Interview avec Charles Rowell, n° 15.3, 1992 *; le chapitre 16 est un entretien avec Ghila Benesty-Sroka, paru sous le titre « Le XXIe siècle sera tribal » dans* Tribune Juive, vol. 11, n° 6, avril 1994, p. 20-23 *; le chapitre 17 est un entretien avec Rodney Saint-Éloi paru dans* Le Nouvelliste, 31 mai 1995. *En plus des chapitres inédits, tous les textes ont été remaniés et augmentés.*

J'effectuai à cette époque la descente et la remontée du Mississippi sur un vieil et inconfortable vapeur. Ce fut lent et beau. Le soir, on amarrait parfois au bord d'îlots à demi submergés, hantés de chants d'oiseaux. L'équipage et le personnel étaient noirs. [...] Nous fûmes invitées au service religieux du soir sur le petit pont arrière qui leur était réservé. Le fleuve coulait tantôt en flots rapides, tantôt traînards et troubles, rougis par le soleil couchant. « Deep river, dark River. » *Les voix chaudes, aux cassures et aux dissonances auxquelles je ne faisais que commencer à m'habituer, semblaient sortir des profondeurs d'un tempérament, d'une race, à la fois présent et passé. Je songe, en repensant à elles, à ces Noirs fraîchement descendus jadis d'un vaisseau négrier, à Dunbar Creek en Georgie, qui s'enfoncèrent en chantant sous les flots, l'un après l'autre, s'imaginant regagner ainsi la patrie quittée de force. Depuis des siècles, le destin noir semble lié à ces notions de traversées marines ou de remontées ou de descentes de fleuves, symbolisés eux-mêmes par la houle du chant.*

— Marguerite Yourcenar, *Blues et Gospels*

Théorie de la vraie civilisation
Elle n'est pas dans le gaz, ni dans la vapeur, ni dans les tables tournantes, elle est dans la diminution des traces du péché originel.
Peuples nomades, pasteurs, chasseurs, agricoles, et mêmes anthropophages, tous peuvent être supérieurs, par l'énergie, par la dignité personnelles, à nos races d'Occident.
Celles-ci peut-être seront détruites.
Théocratie et communisme.

— Charles Baudelaire, *Mon cœur mis à nu*

Nous sommes tous des Caraïbes aujourd'hui dans nos archipels urbains. Peut-être n'y a-t-il pour personne aucun retour possible dans un pays natal — seulement des notes de terrain pour le réinventer.

— James Clifford, *Malaise dans la culture*

...être digne de ce qui nous arrive, dégager quelque chose de gai et d'amoureux dans ce qui arrive, une vitesse, un devenir.

— Gilles Deleuze et Claire Parnet, *Dialogues*

à la mémoire de mon aïeul, Nicolas Malet, dit Bonblanc,
colon révolutionnaire, officier de l'armée indigène,
signataire de la Proclamation de l'Indépendance

en souvenance de mes grands-parents
Dieudonné Des Rosiers, mémorialiste
et Amanthe Malebranche dont la beauté était légendaire

à mon père

Avant-propos
Migrations et cultures

Les migrations plus énormes que les anciennes invasions.
— Arthur Rimbaud, *Illuminations*

La fin du siècle reconduit une époque liminaire en ce qu'elle autorise l'émergence de nouveaux paradigmes. À l'aube du troisième millénaire, le brouillage des identités décentrées et multiples, postmodernes et vengeresses, est accentué par la migration. Des millions de gens ne vivent pas où ils sont nés. Nous sommes des mutants culturels... sans doute comme nous l'avons toujours été. S'il est vrai que l'identité n'est pas liée à l'origine, il n'en demeure pas moins que toute littérature est hantée par l'origine. Lieu fantasmatique de l'innocence et de la pureté des commencements. Au mieux, il n'y a que des identifications : processus imaginaire, rigoureusement singulier, rigoureusement interminable.

La multiplicité des cultures entraîne celle des récits. Ces figures du récit ne sont ni gratuites ni insignifiantes ; l'imaginaire de la migration peut nous offrir une intelligence du Monde. Il peut surtout nous permettre la traversée des enracinements sans nullement y adhérer. C'est donc moins à l'historien qu'à l'écrivain que revient de mener la conversation éternelle. Œuvres, auteurs, personnages, le roman de la littérature se construit aujourd'hui dans l'euphorie du déracinement : bâtardise, syncrétisme sans doute mais sur un fond de mélancolie. Saint-John Perse né à la Guadeloupe, Claude Simon

(Madagascar), Le Clézio (île Maurice), Marguerite Duras (Indochine), dont les œuvres singulières sont belles et fortes, n'ont cessé de tirer le fil de cette question : le lieu d'origine ne correspond pas toujours à la culture paternelle, la langue d'appartenance diffère de la langue de référence.

Depuis les Écritures, l'imaginaire des origines hante les fondements de la littérature occidentale. C'est la Sulamite qui confère une valeur positive et sacrale à l'amour. Dans le Cantique des Cantiques, elle dit : *je suis noire et je suis belle.* Véritable transfiguration de l'alma mater, l'Afrique. Incantation que seul le pouvoir des mots transforme en un res(source)ment qui tend à les parer, eux aussi, d'une dimension primitive. D'Homère (Omeros) à Ésope (Ethiops), les auteurs et les œuvres, notamment le roman grec *Les Éthiopiques* (entre le IIIe et le Ve s. ap. J.-C.), sont saisis comme si la sensibilité alertée avait désenfoui des résonances anciennes qu'elle ne cessera dès lors de nommer ou de forclore, en raison de l'aspect irrémédiable et nécessaire de la rupture avec les temps immémoriaux.

Si le roman *Les Éthiopiques* écrit par Héliodore est considéré comme une apologie du métissage, puisant dans les mythes mariant les Grecs à des héroïnes étrangères, il est surtout le premier roman de la migration, du retour au pays natal et de la quête des origines. Comme Œdipe soupçonnant sa filiation, Chariclée, élevée par un père adoptif, apprend un jour d'un oracle le sens d'une tache de naissance en forme de bracelet d'ébène qu'elle porte sur son bras d'ivoire. Aidée par son prétendant Théagène, la jeune femme ira d'initiation en initiation, de la Grèce à l'Égypte, puis de l'Égypte à l'Éthiopie, remontant le Nil jusqu'à la patrie de ses véritables parents noirs, le roi et la reine d'Éthiopie. Les jeunes gens arrivent enfin *à la terre sombre brûlée par le soleil ;* ainsi s'accomplit l'oracle delphique.

Point n'est ici besoin de s'appesantir sur un mythe qui serait celui d'un Œdipe réussi, c'est-à-dire s'épargnant la tragédie du parricide et de l'inceste, pour apprécier la fiction symbolique mise en scène par le roman, pour comprendre la charge culturelle de ce thème littéraire. Il agit la recherche des origines certes, mais dans une conjoncture où prévalent outre le rapport à l'espace de la Méditerranée à l'Éthiopie, la contamination du regard par les œuvres d'art exposées dans les chambres nuptiales et enfin souligne la prégnance du désir d'un savoir sur soi. On dirait la Grèce toute tournée vers l'Afrique ainsi que le démontre Martin Bernal, dans son ouvrage rutilant du lyrisme de l'érudition, *Black Athena, the African Roots of Classical Civilization.*

Nous vivons aujourd'hui dans la dispersion des signes et la nostalgie d'une ancienne sauvagerie. Mobilité, déplacement, désordre même avec le sentiment d'une autochtonie perdue et détruite par la modernité. Le paradigme antique nous fournit une symbolique, parmi d'autres, nous protégeant de la volonté de faire de tout lieu natal le lieu de l'origine absolue. Car il n'y a pas de lieu qui en lui-même soit une patrie (Plutarque, *De l'exil*). La théorie sacrée des Caraïbes, plus belle que de coutume, frappe aux portes emmenant leurs victimes taïnos en offrandes.

Il faut d'abord constater que le temps des *Théories d'ensemble* est révolu ; les groupes et les écoles — ces vieilles lunes — ont vécu, remplacées par les lunes cathodiques ; une certaine forme de militantisme littéraire n'a plus cours ; la communauté (même d'idée) est perçue comme une survivance de type spiritualiste...

Le village planétaire prophétisé par Marshall McLuhan n'élimine ni la montée des crispations identitaires ni la multiplication des guerres culturelles alimentées par la haine de l'Art et de l'Imaginaire. Avons-nous encore besoin d'une nouvelle esthétisation de la pensée (afrocentrisme, créolité, culturalismes) capable d'investir le divers et ses effets ? Parions pour une manière de théorie non euclidienne de la rencontre des différences...

J'appelle théories caraïbes les groupes d'hommes en larmes, nègres marrons affolés d'amour qui, d'une rive à l'autre, jettent leur langue nationale dans l'eau salée, dans la bouche ouverte, sans fond, de l'abysse.

« Voilà notre patrie», disent-ils, dans le patois des colonies.

Parole d'eau salée, étrangère à la langue et comme incantatoire, qui ne cesse de la rendre plus profonde, à mi-chemin de l'origine et du monde. Et le poète ajouta : « *Le drapeau va au paysage immonde et notre patois étouffe le tambour.* »

Préface
Encre et ancrage : les recueils de Joël Des Rosiers

I have searched, I have searched, I have searched
But the faces of the cities
the old cities
and of the new across the Atlantic seas
were the same
— Jan Carew, *The Cities (A Treasury of Guyanese Poetry,* 1980)
A downtown babel of shof signs and streets, mongrelized, polyglot, a ferment without a history, like heaven. Because that is what a city is, in the New World, a writer's heaven. A culture [...] is made by its cities.
— Derek Walcott, Nobel Lecture

Ancrage, lieux de mémoire

Il n'est point un hasard que chacun des recueils de Des Rosiers prenne pour titre un terme désignant un espace. *Métropolis Opéra* (1987) évoque d'emblée le paysage urbain comme un vaste théâtre de musiques et d'hommes ; *Tribu* (1990, finaliste du Prix du Gouverneur général du Canada) se remémore une communauté circonscrite dans un territoire, et *Savanes* (1993, Prix de l'Excellence artistique de Laval) suggère une étendue d'espace.

L'espace est une des forces motrices de la poésie de Des Rosiers. Dès le seuil du texte, le poète interroge le lieu, réfléchissant plus particulièrement sur la place de l'individu au sein de celui-ci : le rapport d'interpénétration symbiotique qu'entretient l'homme avec l'entour, « gisement culturel[1] ». C'est que la résidence dans un espace donné, habiter un lieu, fut longtemps critère d'identité. Or, dans cette ère de migrations planétaires, d'exodes et de voyages, l'attribution identitaire par le lieu d'origine ou de « transplantation » ou des deux à la fois devient inopérante. Parallèlement, l'identité à racine unique se substitue, opine Édouard Glissant, à une identité rhizomatique, ou « à racine multiple[2] ». L'exil obligé ou choisi, le déplacement à la fois physique et psychique dans l'espace, est un paradigme philosophique et littéraire favori, constate aussi Edward Said[3].

La prépondérance de l'espace et des lieux dans la poésie de Des Rosiers rend celle-ci postcoloniale et postmoderne. Postcoloniale, elle l'est à double titre : l'empreinte de la découverte du Nouveau Monde, de la traite (« un enfant accompagne/une cargaison d'ancêtres terrassés/les frégates au plus haut du zénith/braillent cette procession maudite » (M37)[4] « nous allons aux Indes comme des marchandises » (S66) et de l'esclavage, de la fondation des colonies est manifeste. De recueil en recueil, la mémoire est de fait habitée par ces accidents historiques dont les séquelles ne finissent pas de figer l'île natale du poète, Haïti, « île dématée », « île sous le sang » (S46), dont le poète dit : « mon pays dépérit/c'est sa vertu profonde » (T24). Les traces de l'Histoire obsèdent et appellent à être exorcisées par l'acte d'écriture : « il y a la cendre sur nos plaies/et la foudre sur nos peaux/combien de marées nous ont vu surgir/puis périr pour un pays qui n'eut pas lieu/il y a la chaux sur nos mains/le fer à nos pieds encore » (T42-3).

Mais il serait fautif d'en déduire que le mythe du retour au pays natal, que la nostalgie du passé et la déploration dominent. Comme le précise Judie Newman, l'ère et l'aire postcoloniales inaugurent des œuvres optimistes, émancipées de la dialectique grippée du colonisateur/colonisé : « When colonialism ends, writers must have the right to write about trees or love[5]. » Ce qui est bien le cas de Des Rosiers où l'imaginaire végétal et l'amour sont deux autres axes majeurs. Miroir des attitudes amoureuses, la quatrième de couverture du second recueil *Tribu* anticipe cette énergie néantisante, sexuelle et végétale « Toutes nos histoires d'amour sont des histoires de réparation. L'ouverture des lèvres avoue le déracinement, inaugure l'assomption dans le corps redoutable de l'autre, aux pieds de qui la poésie abandonne ses armes. » Phrase suivie par cette autre « maxime » troublante : « nous aimons les êtres ô toujours qu'il ne faut pas aimer » (qu'on trouve à la page 18 : « personne n'aime personne/sinon les figures de soi/à l'affût dans le limon d'autrui »).

La poésie de Des Rosiers est encore postmoderne par son « indétermination géographique », célébrant des lieux dispersés sur le globe, ainsi que par sa dimension résolument intertextuelle. Hommage est rendu à Césaire (« toi Césaire qui aimas Homère vieil » S76), à Saint-John Perse et à « Alexis », étant à la fois Jacques Stephen Alexis et Alexis Léger Léger qui n'avait pas peur d'interjections telles « ô », récurrente sous la plume de Des Rosiers. Ailleurs, les allusions se font plus discrètes, plus vagues : « parmi les hiéroglypes/l'écrivain crie/rendez-moi mes livres » (S58), ce qui fait écho au vers de Léon Gontran Damas « rendez-moi mes poupées noires ».

Le « poète apatride » (T38) écrit des vers qu'on ne peut et ne doit plus longuement confiner à une origine, à un lieu géographique[6]. Une impression de désorientation et de décentrement s'empare du lecteur, quitte à désemparer la critique à l'affût qui de la créolité, qui de l'haïtianité. Des Rosiers est le premier à se lever contre la tentative réductrice d'exiger d'un auteur qu'il enrichisse « l'avoir romanesque haïtien ». Prenant la défense de Métellus, à qui d'aucuns reprochent de trahir le pays natal en situant son roman *La Parole prisonnière* en Alsace-Lorraine, Des Rosiers rétorque à juste titre qu'on n'aurait jamais soupçonné Graham Green d'exotisme dans *Les comédiens*, description acerbe du macoutisme haïtien (Des Rosiers, 1987, p. 53). Le danger d'apartheid culturel menace d'ailleurs aussi la critique littéraire, comme le souligne Todorov : « Is this not to say that the content of a thought depends on the color of the thinker's skin — that is, to practice the very racism one was supposed to be combatting ? This can only be described as cultural apartheid : in order to analyze black literature, one must use concepts formulated by black authors. » (1986, p. 376)

Revêche à toute catégorisation, baroque et complexe (Vitiello, 1993, p. 5), répondant au vœu d'opacité de Glissant, la poésie se veut avant tout objet et sujet de beauté, les livres étant « fétiches » (S59), communiquant des expériences et des sentiments éminemment personnels et cependant reconnaissables. L'esthétisme et le baroquisme s'étendent aux aspects matériels des recueils que le poète désire objets agréables à manipuler, beaux à regarder : illustrations et « texture » du papier sont particulièrement soignées, faisant du livre une œuvre de typographie et d'imprimerie. La surconnotation provient entre autres du silence imposé par l'espacement dans un même vers, créant ainsi une impression de vide (voir poèmes S67/S58). Héritée de Mallarmé et des artistes de la *Revue blanche*, cette préoccupation esthétique fut notamment celle de Victor Segalen dans les premières décennies du siècle. La riche imagerie iconique contraste avec les « maigres » notices bio-bibliographiques sur les quatrièmes de couverture, appréciant la « grande cohérence thématique et formelle » (S) et la « maîtrise langagière ».

C'est donc de lieux, et de (la) mémoire de ceux-ci qu'il s'agit essentiellement : « le poème célèbre la force des lieux » (S92) ; que ce soient « Lieux du désastre » (titre du deuxième volet de *Métropolis Opéra*) ou lieux de « vastitude » dans « Mémoire océan » (par lequel commence *Tribu*, ou « Désir de désert » dans le même recueil), ou encore « Mémoire de la peau » dans *Savanes*. Mémoire de lieux, mais aussi de personnes liées à ceux-ci (p. ex. la servante S47 ; S48, S77 : « vaïna serve mère/ ma joue contre la peau sombre/de la phrase/aux aurores safran de ton aérole/donnas à travers le madras/le lait de patois sourd/ suave/[...] »), mémoire de corps, d'images, d'impressions. Le poème est épiphanie du souvenir, projection de villes et de sites mythiques (sur des paysages et des pays réels), Mykonos et Hellas (M48-9), la Nubie (S21) ; l'Orénoque (S55) ; le Zambèze (S65), le Niger (S83). Le poète jouit et souffre de la remémoration (S86), « être malade d'un lieu le même ô toujours l'île comme une déréliction », du devoir de se souvenir de ce qui eut lieu dans « le secret des Indes suaves et cruelles » (S37 et T22). Amour et haine des origines se confondent : « sainte île où nous mangions nos morts/ramas d'îles afin que l'exil des morts fût » (S64) ; « lieux d'être/lieux sans nom/qui ne se souviennent pas de nous/pourtant avons été dans la terre/sombre souple » (S93). Le poète est à la recherche des lieux et des langues, car la colonisation et ses avatars sont ce processus affable par lequel l'on éradique la mémoire, on oblitère le passé : « il y eut un blanc à l'origine/cela relève du malheur/toutes en nous jusqu'à la langue maternelle sont étrangères [...]/nous séjournons dans ce blanc impossible/à éprouver/nous portons la langue ennemie » (S86) ; « le poème rendu à ses traces/l'amnésie erre/comme la peau sur des muscles/quelque chose manque » (S85).

L'acte poétique porte le sceau de la fréquentation de lieux familiers, de ceux jadis familiers, devenus étrangers, greffés douloureusement dans l'esprit du poète : « au-dedans s'écrie/à hisser la douleur comme une draperie/une légende d'enfance/en un jardin meurtri de pollen de rosiers sauvages/la langue d'un homme sans tribu/sur la mer écriture » (T24). Le poète veut mieux se voir et se concevoir étranger à soi, enrichir son identité par le Divers.

Métropolis Opéra : « Du pays réel »

Des Rosiers n'est pas le seul à surconnoter le topos de la ville, central dans les narrations postcoloniales où le paradigme ville *vs* campagne traduit l'antagonisme entre colonisation (= modernité, assimilation) et marronnage (= tradition/indigénisme). Comme plus de la moitié de la population mondiale habitera les agglomérations urbaines et que la vie « traditionnelle » à la campagne sera un fait rare (Françoise Lionnet, 1995, p. 49), le paysage urbain fait l'objet d'une poétisation. La ville postmoderne exacerbe d'autre part l'anxiété identitaire dans la mesure où la mégapole, assaillie de minorités, devient le lieu où la société nationale (et nationaliste) se désagrège, remarque Bhabha[7].

Chez Des Rosiers, la bipolarité entre ville coloniale et ex-coloniale, ville moderne et européenne est levée dès le titre du premier recueil « Métropolis » comprenant « polis », mot grec pour la cité, le poète imbu des classiques (voir l'hommage fait à l'*homme-mère*: Homère/je songe à vous vieil/quand d'Eurybiade/vous célébrâtes l'âme [S20]) joue sur le double sens de métropole, capitale, ville cosmopolitaine et celui de mère patrie, opposée à ses colonies (les Antilles françaises, « Filles de France », restent rivées à la Métropole). Dans ce paysage factice conquis sur la nature, dans ce décor d'une domination de plus en plus prononcée de l'homme sur la nature, des sciences sur l'immatériel et le spirituel, le poète se fascine pour le beau et le laid, pour « l'hydre des faubourgs » (M58) ; « la Gorgone à chevelure d'apocalypse » (M). La ville a beau avoir son cortège d'« ivrognes », de « femmes d'amour dans les closeries » (S81, 83), de « routiers aux gros bras/ dans de lourds camions en partance pour la ville » (T32), elle séduit par les rencontres qu'elle orchestre : rencontres de peuples, de cultures et de langues.

Métropolis Opéra est l'éloge du Babylone[8] moderne, de l'opéra où « consonent » une multiplicité de voix et de langues, scène d'une culture postnationale, polylinguistique et multiraciale. Cette image de la ville moderne est résolument postmoderne, décor d'un *Middle Passage* que subit notre culture par les nombreuses diasporas qui toutes diffractent et démantèlent l'idée (eurocentriste) d'appartenir à une culture, une langue, un peuple[9]. *Métropolis Opéra* transmue des topoï aussi « banals » et quotidiens que le métro (« caïman alourdi d'une humaine insomnie »), la voiture (« l'homme qui promène sa ferraille dans la vallée des rues » [S81] ou « berlines en transe » dans « Highway », [T89]), les passages à piétons (« de jaunes zébrures ornent le bitume » dans l'évocation de Montréal [S81]).

La ville trouve grâce aux yeux du poète car il reste le rempart salutaire de « la paix de la langue », même si l'on y fait l'expérience de l'exil et de la dissémination : « ô ville/ville de vastitude comme de désertitude, théâtre des fêtes du simulacre. » L'être y est exposé à une constante redéfinition ; l'exil devenant condition identitaire : « à l'aube millénaire, hormis le schisme de ma voix et l'anamnèse impossible, la ville sur ses estrades bruit... de cette aura procède l'effet d'ex'île, comme une errance en soi qu'un nuage d'encre jamais ne tarira », nous apprend la remarque liminaire.

Métropolis Opéra chante donc l'architecture de bâtiments et de rues, les constructions de pierre et de métal, les « voiries de bitume », « venelles » et « asphalte » conformément au manifeste des créolistes (Bernabé e.a.) : « il n'existe rien dans notre monde qui soit petit, pauvre, inutile, vulgaire, inapte à enrichir un projet littéraire. *Nous faisons corps avec notre monde.* Nous voulons, en vraie créolité, y nommer chaque chose et dire qu'elle est belle. [...] Prendre langue avec nos bourgs, nos villes. » (Bernabé e.a., 1989, p. 40)

Le poète stigmatise pourtant aussi la défaite au niveau de l'individualité collective, peu marquée et le déficit social : les quartiers ne sont pas des voisinages : les « nébuleuses urbaines » ne sont pas toujours des espaces d'échange. Y déambulent comme à l'opéra des acteurs portant masque et soucieux de l'apparence plutôt que de l'être. Où trouver cette transparence originelle, cette quiétude existentielle, si ce n'est aux antipodes du paysage urbain, dans l'immensité désertique ?

Entre l'urbanisme sédentaire et l'insularité originelle : le nomadisme salutaire

« Homme des îles, homme de passages » (comme il se présente lui-même[10]), Des Rosiers part aux confins du désert pour une rêverie d'ethnicité dont il nous offre les traces poétiques dans un recueil où la frontière entre prose et poésie s'estompe. *Tribu* témoigne du désir d'appartenance, ne fût-ce qu'un jour, qu'un soir, à cette communauté fraternelle, voire ancestrale. Le poète fait de sa vie un paradigme de la subjectivité ethnographique. Il s'abrite dans cet îlot de vie tribale qui fuit devant l'assaut de la modernité et l'arrivée des touristes, nouveaux conquérants d'un espace inviolé de plus en plus réduit. Dans *Tribu* s'expriment le désir et le plaisir de se décentrer, de se « désensoucher », dans cette ère de « détribalisation » où transcender des frontières de race/classe/langue devient nécessité vitale[11]. Contre la fixité des lieux qui est ghettoïsation identitaire, la multiplicité des lieux et le mouvement migratoire invitent à la découverte de l'Autre et de l'Ailleurs, pour que le Moi aille au rythme de l'Histoire.

« Au pays rêvé » : *Savanes*

Savanes reprend les leitmotiv poétiques des recueils antérieurs : perception d'espaces et des îles, labyrinthe du désir et exil vécu comme invitation à un métissage identitaire abolissant toute logique binaire.

Comme l'indique tout de suite une épigraphe, le terme élu comme titre vient de « Savana », ce qui vient en quelque sorte souligner son genre féminin. De plus, il appartient à ce parler *maternel* perdu, la langue des Taïnos[12] qui vécurent dans cet espace « matriciel » que sont les Antilles. Cette langue amérindienne avait la particularité d'être une langue féminine, transmise de mère en fille (comme le précise la romancière Jean Rhys, née à la Dominique). Langue dont il n'est resté de trace si ce n'est imaginaire. Régis Antoine souligne avec raison que retracer l'histoire littéraire des Antilles devrait débuter par « réemboucher » ces « rares mots épaves » qu'ont dû prononcer les Arawaks vaincus, les Taïnos abattus et les nègres marrons qui se sont tus pour la postérité.

Que le poète devienne dans l'interstice du texte glossateur, prouve la minutie avec laquelle est pesé chaque mot. Mot/peau, poème/parole forment un paradigme récurrent exprimant le culte de la parole, la vénération pour « la texture de la phrase » : « surface de la page les mots sont/peau/en mon spasme tu perds la parole » (S80). L'objectif est une « corpo-réalisation » de la parole poétique, une incarnation de l'écriture. La poésie s'érige en méta-poésie, réfléchissant sur son lieu d'être, son origine et sa destinée ; côté mallarméen. « Il y a que[13]/les peuples manquent de poésie/de même/nous les poètes manquons aux peuples » (S60). « Sur quel abîme couler la fondation des mots/leur vocalise dédiée à la géode du monde/ au plus délavé de l'absence/étreindre l'errance sauver le récit ô humblement de l'incise et de l'oubli/aux îles où je mourrai peut-être » (T84).

Le mot est objet de passion de l'écrivain, un objet érotisé, sexe : « sa bouche est pleine du sexe de la langue » (S20) ; « [...]l'écrivain/infâme auteur de la phrase/du corps sans vie de la phrase/en ce poème d'amour d'angoisse/qui réinvente sa masse meuble/meurtrière » (S91). Pour Des Rosiers, « La parole de l'écrivain est une pulsion d'écrire qui cherche à déconstruire la langue maternelle » (*Tribune juive*). Plus le mot est étrange et plus il fait appel à l'imagination du poète : « beauté du mot oubli à rejoindre/sur la berge/sans ciller sur la gigantesque nostalgie/le vocable en la savane enfoui » (S87) ; « la mère est la langue perdue » (S88).

Cette note auctoriale, outre qu'elle oriente le lecteur déroute également. Car pour un public francophone, « savanes » évoque d'abord la savane africaine. Par l'explication étymologique, il nous est demandé un regard moins exotisant que culturel, historique et anthropologique sur la poésie de quelqu'un qui dit à propos de lui-même que l'Afrique, l'Europe et l'Amérique se rencontrent en lui. Pour le lecteur antillais, le terme rappelle la *liberté de savane* : forme officieuse et limitée de « liberté » accordée à certains esclaves. La savane comprenait toute l'aire de la plantation. L'esclave qui en bénéficiait demeurait esclave ; sa liberté ne pouvait être qu'un simulacre. Qu'il suffise d'évoquer par exemple les *savanes de rafraîchissement* pour que toute une mémoire suppliciée resurgisse. Après la traversée de l'Atlantique qui durait trois mois, lorsque le voyage avait été particulièrement effroyable, les négriers soumettaient les esclaves à un séjour dans des camps de réhabilitation appelés savanes de rafraîchissement ! Après une cure de repos et de gavage destinée à améliorer leur condition, les captifs étaient frottés à l'huile de palme puis mis aux enchères. Enfin le terme s'associe à la place publique de Fort-de-France, ornementée par la belle statue de Joséphine de Beauharnais[14] mais aussi à toutes les pampas désolées qui peuplent les îles.

La note philologique[15] met en relief le rapport entre ce même espace et une ethnie, entre le nom donné à un territoire par une « Tribu », mot « sacralisé », on l'a vu sous la plume de Des Rosiers. « Savanes » suggère donc l'ancrage spatiotemporel d'un peuple, la collectivité assignée à un espace circonscrit.

Si la polysémie du mot (ethnologique, topographique) motive déjà le pluriel de Savanes, il s'y ajoute une ultime intuition paléontologique qui fait converger, comme il est souvent le cas dans la poésie de Des Rosiers la fascination pour la science, « poésie des faits », et la rêverie poétique. Cette dernière connotation nous ramène aux origines de l'espèce humaine, à l'Afrique-mère, berceau de l'humanité. En effet, les savanes arborées d'Afrique orientale à l'est du grand Rift, chaîne montagneuse qui se prolonge de l'Éthiopie à l'Afrique du Sud, renferment les fossiles les plus anciens des hominidés. Mausolée émouvant des premiers pas de l'humanité. Lieu de mémoire où l'*Homo sapiens* a acquis la station debout et entrepris sa grande pérégrination hors d'Afrique. La bipédie, en modifiant l'anatomie du larynx et du cerveau, lui a surtout permis l'usage de la parole. Le poète célèbre l'avènement du mot dans la bouche de l'homme : « enfin savanes/dans la promiscuité des îles/ lieux d'être lieux sans nom/qui ne se souviennent pas de nous/

pourtant avons été dans la terre/sombre souple» (S93). Qu'est-ce à dire? La savane africaine est le lieu-dit de la parole. Parage des commencements où la «négritude se mit debout pour la première fois», selon la formule de Césaire qui, voulant rendre hommage à la Révolution de Saint-Domingue, a réussi par des arcanes secrètes, éloignées de son dessein, à glorifier les premiers balbutiements de l'homme.

Mystère de la poésie. La savane est aussi d'une autre essence. Loin des Antilles où il prit naissance, c'est par la Nouvelle-France que le mot fit son entrée dès le XVIIe siècle dans le lexique français. Il y exprime la complexe réalité de la vallée du fleuve Saint-Laurent, dépouillée de l'accidentel, réduite aux axes conjugués de la solitude et de la mélancolie. Pour Marie LeFranc[16], poète et romancière québécoise d'origine française, «La savane est nécessaire à l'homme, pour s'évader de l'étroitesse du quotidien. Lieu illimité [...] où l'on s'attendait à voir se dresser une créature terreuse qui avait perdu l'usage de la parole.»

Le paratexte du recueil annonce incontestablement «la passion pour les langues lointaines» (S89) de l'écrivain «cimarron» (S68). Plusieurs langues confluent dans *Savanes*: des langues perdues, opprimées. Comme Morrison, Des Rosiers est sensible aux pouvoirs de force qui régissent le monde des langues. Morrison médite sur ce qui fait disparaître une langue, ce qui fait qu'une langue est censurée, et attire l'attention sur les dangers d'opprimer une langue et les traditions orales d'un peuple: «Oppressive language does more than represent violence; it is violence; does more than represent the limits of knowledge; it limits knowledge[17].»

Et le poète de s'interroger sur ce blanc, de pleurer l'éradication de la langue maternelle: «il y eut un blanc à l'origine/cela relève du malheur/toutes en nous jusqu'à la langue maternelle sont étrangères [...] nous portons la langue ennemie» (S86). Ensuite, il y a ces langues à peine reconnues, les créoles de l'archipel caribéen[18], parler dont est exilé spatio-temporellement l'auteur.

À cet exil linguistique remédie l'écriture, l'*encre* retraçant les lieux d'*ancrage*. Chez Des Rosiers, la langue s'enrichit de ses sédiments diachroniques : elle joue de la tension entre langue maternelle et paternelle, entre langues disséminées et disparates par leur âge. Elle fascine et sollicite le poète. Elle est une des composantes qui prodigue au recueil son originalité et sa troublante beauté. Car Des Rosiers ne craint ni les mots, ni les formules rares ou archaïsantes[19] (« les mots *ouïs* puis nos cadavres à la *voirie* » S86), ni lexèmes modernes, ayant trait au corps (« hymen » S70 ; « morose membrane » S71, « le chyme » S72, « sternum », « pubis » S88 ; « allons mourir heureux/les bruits de muqueuses nous absolvent » S96) ou à la technique (« sans cesse loué-je la technique/la gravité des herbes couchées sous l'avion » S95). Des Rosiers, originaire de la seule île où le créole devint langue officielle, remonte le temps au-delà de cette langue créée par les esclaves. Désir de retourner au giron de la langue maternelle, à la matrice identitaire, celle d'avant tout contact avec les « conquérants du Nord » (selon la terminologie de Glissant), vierge de toute contamination de la langue de Prospéro (le créole étant né du double apport du maître et de l'esclave).

Cette rencontre linguistique entre le présent et le passé d'une langue redouble celle de peuples prétendument séparés par des « temps d'Histoire » (les Caraïbes étant exclus de l'Histoire, considérés comme des primitifs *cf.* Hegel).

C'est en effet à une *révision* (dans tous les sens du terme) de l'histoire coloniale, à une relecture de la conquête de cet espace perdu et du temps *éperdu* qu'invite le poète.

Après *Les Indes* de Glissant, après Derek Walcott, « voyageur mental » retraçant dans *Omeros* la longue odyssée, après Carlos Fuentes redécouvrant l'Amérique dans *L'Oranger*, et Augusto Roa Bastos (*Veille de l'Amiral*), Des Rosiers réécrit « la

Découverte du Nouveau Monde». Il le fit déjà dans *Tribu* où il exhorta la Pinta, la Niña et la Maria «ô putains océanides» à «rendre de [leurs] salures les esclaves enferrés» (T81).

Ainsi, il se pose dans le droit sillage d'écrivains *métis*, condition identitaire qu'il réclame (voir art. cité, p. 20, *Tribune juive*), qui repensèrent la rencontre qui n'en fut pas une (T. Todorov, 1982). Si ces écrivains de la Diaspora en sont encore tout habités, c'est précisément parce qu'y réside l'énigme de leur propre *identité*.

Le triptyque commence alors logiquement, par «L'origine du monde»: un ensemble de quatre poèmes nous retrace le voyage de Colomb à bord de «la Maria» vers ce qu'il croyait être les Indes. La genèse des îles (car ces «terra nulla» naissent pour ainsi dire avec la découverte) est aussi genèse de la parole. Au commencement fut l'Éden, les Isles Fortunées, le jardin terrestre où tout fut «luxe, calme et volupté». Débarquent les «Conquistadores», ignorant la ruine qu'ils allaient semer. La rencontre se place sous le signe de la mort («la tête de mort siffle sa pituite»), et du malheur («valetaille hurlant la déveine»); l'accostage des Européens à la Guadeloupe (l'ancienne «Karukéra», l'île aux mille rivières) signifie désordre et violence, mort: «belles isles où pleurent les abricots, presqu'îles en mer, d'où vient la terre, d'où vient le paradis, qui allez mourir». La perspective prémonitoire (futur simple) provoque l'étrangeté, le dépaysement poétique: apostrophant ces «belles îles qui allez mourir», le poète semble vouloir les avertir de leur sort néfaste, ainsi que de celui qui attend les Conquérants.

Pour Joël Des Rosiers, la littérature n'est pas un divertissement d'exilé, selon cette pauvre idée qu'on se fait parfois de la littérature. Toute l'ambition du poète est de trouver dans le monde un grand corps habitable, à la mesure de son désir d'homme. Il s'agit d'investir l'espace de la page, au sens de le créoliser. Des Rosiers a créé le poème de l'espace. L'empreinte des mots donne forme au projet qui gît sous les sédiments de l'histoire et du mythe. Pour un homme né en Amérique, dans une ville qui porte le nom ancien des atolls de corail, cayes, l'espace est au centre de tous les événements.

Kathleen Gyssels, chercheur au Fonds National de la Recherche Scientifique (FNRS), Université d'Anvers, UFSIA

Chapitre I

Xénophilies (Gloses pour autrui)

I

L'effet d'ex-île :
Jean Métellus hors la clôture insulaire contre Jean Prophète

JEAN REVERZY, ÉCRIVAIN FRANÇAIS, médecin, voulait écrire un « Drame du langage », titre initial du grand roman médical qu'il eût aimé achever avant sa mort. Médecin des pauvres, jour à jour, il côtoie la souffrance et à temps perdu écrit les chefs-d'œuvre que l'on sait[1].

À l'ample dossier « Littérature et Médecine », Jean Métellus, écrivain haïtien, neurologue et linguiste, vient d'ajouter un chapitre à rendre souffle : *La Parole prisonnière* ; à compenser cet acte manqué de Reverzy, bégaiement de la littérature, incessant palimpseste. Je rêve à voix haute et y vois la main invisible de Reverzy tant la communion des deux destins littéraires s'avère forte.

Quelque chose comme la haine du langage impuissant à chiffrer l'émotion, et la détresse du taire, traverse le roman de Métellus de part en part. Patient et résolu, l'auteur tente de construire une œuvre, constamment inachevée, où la fiction romanesque, la poésie, le théâtre ouvrent des rivières navigables ; vases communicants, passerelles qui autorisent le passage d'un texte à l'autre. Ainsi *Une Eau-forte*, roman à travers lequel l'écrivain exprimait sa pensée au plus près, avait reçu en son temps un accueil chaleureux. En ce sens, ce roman conduit-il dans la réflexion que mène l'écrivain sur le procès de création littéraire à *La Parole prisonnière* (Gallimard,1986). En développant les prémisses précédemment abordées, en effet, il « récidive », poursuit la démarche, la dédouble, et la sublime. Cette fois, plus hardi, il apparie au cœur d'écriture deux pratiques de création, l'une scientifique, l'autre littéraire. Il promeut par le biais d'une double trame narrative une fiction romanesque où la science de la langue éclaire une maladie de la langue.

Qu'on préférât une *Eau-forte* à *La Parole prisonnière* est affaire de subjectivité personnelle, d'idiosyncrasie.

Un reproche de cosmopolitisme aggravé d'une condamnation dentue pour « avoir à deux reprises sacrifié l'avoir romanesque haïtien » lui ont été récemment assignés sous la plume vitriolée de M. Jean Prophète[2]. Je ne serai pas le thuriféraire du romancier que je ne connais qu'à travers ses livres. Il m'apparaît d'ailleurs assez grand — 1 m 96 d'après son allure à l'émission de Jérôme Garcin — pour se défendre tout seul.

J'appréhende cependant dans l'argumentation de M. Prophète un immense malentendu allié à une méfiance envers les lieux moins communs de la fiction romanesque haïtienne qui risquent d'occulter le véritable nœud de la chose : le drame de la création littéraire en diaspora, chez un homme de science, médecin et écrivain, espèce hybride, hanté par le langage, alourdi de la mémoire d'une île où la parole fut longtemps, demeure encore prisonnière.

Je le dis tout net : le paralogisme de M. Prophète me navre. Il me cause d'en devancer la perversité.

La science comme fiction

Écrire et soigner la maladie sont deux entreprises parallèles de néantisation : l'une mène au silence, l'autre, quoi qu'on fasse, à la mort. Aux premières loges de ces noces rouges, un médecin écrivain angoissé par la douleur de l'Autre (miroir de la sienne propre) pour peu qu'il se débarrasse de sa cuirasse clinique, ne peut que témoigner : la vie est « perte », perte de souffle. Lors du rendez-vous décisif, la maladie de la mort ouvre à l'homme la vraie vie. La lutte contre le désarroi du corps et du souffle lui confère un certain héroïsme proche du stoïcisme[3], en le déprimant elle lui enlève toute noblesse. Par l'art (le violon du personnage Brice) il se sublimera et retrouvera peut-être sa dignité. C'est sans doute cette thématique que *La Parole prisonnière* donne à pétrir (autour de la détresse du dire) en plus de proposer la science du langage comme langage de la fiction.

Malgré notre inconsistance morale qu'exacerbe le hoquet du temps, nous sommes tous porteurs d'une double citoyenneté, au royaume de la santé et en celui de la maladie[4]. Bien que nous préférons utiliser le bon passeport, tôt ou tard chacun de nous est obligé au moins pour une courte période de s'identifier comme citoyen de l'autre monde. Cette schizoïdie (oui/non) que l'auteur appelle « passion de l'hésitation », il l'a campée en Alsace-Lorraine. À Metz. À Strasbourg. Dans cette France de l'Est, France des confins qui selon les engouements de l'Histoire ou les affres de la guerre, fut tour à tour française, allemande, puis de nouveau française. Cette lisière, colonie dans la métropole, où s'affrontent deux cultures, deux langues. Évocation perspicace et subtile de la double appartenance et de l'écharde qui y siège.

Une banlieue sage dans le monde feutré de Metz, un milieu BCBG (bon chic bon genre). Les hommes jouent au tennis ; les femmes fades à l'érotisme désuet portent du tweed en bavardant autour de la piscine. Voilà : les lieux ont leur importance. On pouvait craindre le pire — violence d'un sujet qu'une écriture émousserait en sentimentalité, mièvrerie ensoleillée au son du carillon de l'église de Valleroy qui rapetisserait un talent certain — on découvre, retrouve du meilleur Métellus. La petite musique rentrée, la détresse silencieuse des jours, la poésie sous les mots.

Soudain dans le jardin, un père a crié : « Brice ». Brice comme bris, prénom plus sangloté que hélé, brisure de la trame du langage. Enfant maléfique porteur d'une malédiction qui ébranle cette famille où tous les hommes — grands, forts et blonds — sont bègues, c'est-à-dire faibles. Comme nous aussi. Cela seul importe.

Autour de cet axe, Métellus enchevêtre une série de micro-récits, fait surgir des personnages (Cyrille, Edmond, le père Édouard) qui viennent par leur truculence redresser une nature qui vacille, bafouille son délire circulaire. Sur les effets ravageurs du bégaiement, Didier et Patricia, l'un sociologue, l'autre orthophoniste, soutenant père et fils, ouvrent, agitent le texte, introduisent dans la fiction la science du langage. On y croit quand Ernest, le père de Brice, s'éprend de Patricia la guérisseuse, réveillant chez elle des désirs assoupis. Rien n'est jamais acquis car le drame danse dans la brume. Tout semble détruit quand elle perd l'enfant qu'elle porte. Et l'espoir avorte. Les exemples et les figures de bègues célèbres qui fécondent le texte convergent en une maïeutique si tant est que toute méthode est une fiction.

Une langue sous influence : la science comme métaphore

Comme figure emblématique, la maladie de la langue est probablement l'une des plus cruelles, surtout lorsqu'elle frappe un enfant car elle cherche à lui assécher le souffle. Le parallèle entre les langages de la fiction, de la poésie et de la science, suggère que la fiction utilise naturellement des mécanismes verbaux (phraséologie, style, rythme) propres à la versification, qu'il existe une espèce de contagion stylistique entre les trois genres (à l'œuvre chez Métellus) révélant la vanité dernière d'une formalisation excessive.

Historiquement, la langue de la science fut poétique. Les savants du XVIIIe siècle écrivirent avec un certain plaisir de la langue, vaguement conscients qu'écrire est la science jouissive du langage[5]. De sorte que, progressivement, la langue de la science s'associât à celle de la fiction. Cette compénétration fut rendue possible parce que la science aura été grandement considérée comme une catégorie de la fiction.

Une espèce particulière dont le champ fut envahi par des étrangetés médicales, des monstres, des lieux, place et phénomènes hallucinatoires. À l'époque, il n'y avait sans doute aucune agressivité, sinon une saine compétition, entre écrivains scientifiques et littéraires. Dès lors que l'homme de science réclama pour lui-même le privilège d'un meilleur style, l'homme de lettres dont l'orgueil fut blessé, reprocha à la science d'opacifier, de circonscrire, d'appauvrir la riche sensibilité et la puissance d'expression de la littérature romanesque. Il se fit fort de trouver les faiblesses dans le style de son frère ennemi : évidemment, il les exposa et fut ravi d'en souligner les insuffisances, d'en ridiculiser les naïvetés.

Cette subtile dialectique se vérifiera dans l'écriture du romancier sûrement contaminée par celle du scientifique. Plus précisément, la science fournira à la littérature une acuité renouvelée, de même que de frais sujets d'invention satirique (*cf.* Melville). Vers le milieu du XIXe siècle, la science développa son langage distinctif qui laissera des traces, des incises dans l'organisation de la forme romanesque.

Que Flaubert ne se contentasse pas de la musicalité d'une phrase, tout son dur labeur d'écriture le prouve clairement. La composition de ses livres exigeait une recherche scientifique de documents sous-tendue par une fabuleuse érudition. Ce désir d'exactitude scientifique frisait chez lui l'obsession : 1500 livres lus pour *Bouvard et Pécuchet*, des centaines de sources pour l'archéologie et les vêtements dans *Salammbô*. Ironie du sort, déjà Sainte-Beuve lui reprochait « l'exotisme » de *Salammbô*.

Romantique ou pas, la curiosité scientifique inhérente à la médecine s'étendit à tous les domaines et embrasa la littérature : relire la fameuse scène des Comices agricoles dans *Madame Bovary*. Pour mémoire, soulignons que la littérature moderne demeure marquée par un Mallarmé philologue, par un Saint-John Perse botaniste et géologue, et par Nabokov entomologiste.

Ce constant jeu d'influences, de réciprocité et de correspondances, fut acquis au prix d'une sensibilité partagée et d'un langage commun. Malgré le caractère ésotérique à quoi ressemble en cette fin de siècle la langue scientifique d'aujourd'hui, il n'est pas inutile de rappeler qu'en la deuxième moitié du XXe siècle, deux des plus grandes révolutions du langage romanesque furent accomplies par James Joyce, médecin raté, et par Céline, médecin praticien. Ceci est l'objet d'un autre débat. (Nous sommes prodigieusement avides du travail annoncé par le romancier Métellus sur le *Finnegans Wake* du même Joyce[6].)

Il est permis de regretter un certain parti pris de Jean Métellus pour une langue « pure » qui vienne à frôler l'académisme ; une telle instance — le bien écrit — ne permet pas à l'auteur de désenfouir « les pulsions enterrées » (p. 41) qu'il met en scène. On se surprend à imaginer ce qu'aurait pu être un tel roman si l'excès et l'outrance des conflits exposés avaient investi le style même (*cf.* la manière de Heinrich Böll dans *Le tambour* sur une thématique apparentée).

Cela dit, malgré cette limitation évidente, et une fin qui m'apparaît peu aboutie, la séduction de *La Parole prisonnière* vient de son caractère mystérieux, distillé, concis, quelque peu en retrait de l'indicible... et qui me porte à l'enthousiasme. Enthousiasme pour les multiples fusions entre un discours scientifique sur le bégaiement et la réflexion sur la lutte paradoxale que doivent mener les individus, emmurés dans leur solitude.

Métellus nous parle de problèmes essentiellement contemporains : la perte du sacré, l'incommunicabilité des êtres égarés dans un monde surchargé de moyens de communication, l'éloignement au réel et à soi. Cette opacité davantage intérieure qu'extérieure culmine dans un oxymoron[7] sur le brouillard (p. 94), qui mériterait de figurer dans une anthologie. Ce roman : un appel à l'émotion et à l'intelligence. Une tentative inédite, aux épissures de la science et de la littérature, pour dire la souffrance du sujet dans la langue. « Perdure, toute parole tue, ce dur désir de dire[8] ».

Qui a peur des écrivains ?

Graham Greene, écrivant *Les comédiens,* dont l'intrigue se déroule dans l'Haïti macoutique, personne ne le soupçonnerait « d'exotisme ».

Il a suffi qu'un de nos écrivains sautât hors la clôture insulaire pour que de lourdes accusations de trahison soient brandies. Qu'est-ce que cette vision chagrine de la littérature ? De quelle tare intellectuelle serions-nous affligés qui empêchât les écrivains, dans la solitude de l'acte d'écrire, de s'adosser à leur conscience pour écritoire, à leur pratique quotidienne (médecin, voyou, journaliste, sociologue, chômeur, etc.) pour grimoire. La littérature est-elle un monstre, Médée dévoreuse de ses enfants qui ne seraient pas conformes au sang, à la race, à la terre ? La littérature haïtienne est-elle un « lakou » totémique rassemblant les écrivains autour du patrimoine inviolable de l'identité ?

Le discours identitaire, obsolète, rédhibitoire, réducteur de M. Jean Prophète renâcle des accusations qui ne sont pas nouvelles. M. Prophète — par devers son nom — n'annonce rien de nouveau, sinon un préjugé dont la répétition n'amoindrit pas la perversion.

Déjà, Borgès était accusé d'être tourné vers l'Europe, d'être étranger aux réalités latino-américaines, d'être une excentricité « exotique ». Plus près de nous, aux Antilles, V.S. Naipaul, écrivain d'origine indienne né à Trinidad, dont l'œuvre lucide et courageuse témoigne de la dissidence de tout écrivain par rapport à son lieu d'origine et des conflits qui embrasent le monde contemporain, a dû lui aussi se défendre contre de tels anathèmes.

Ailleurs qu'en littérature, en peinture, tout le corpus de Gauguin par exemple, abandonnant les landes bretonnes pour les îles polynésiennes, après avoir peint les *Cueilleuses de mangues* à la Martinique, a inauguré par sa posture fauve tout un pan de l'art moderne qui de Matisse à Picasso[9], va réintégrer l'art nègre dans son mystère et sa gestuelle. Lui aussi, en son temps, aura été méprisé pour fauvisme, autre nom d'époque de l'exotisme.

S'il est vrai qu'un auteur appartient à une terre et à un sang, son œuvre quant à elle ne peut être réduite à la nation, à la race, ou à la classe[10]. On pourra retourner le blâme au critique, et dire que le roman de Métellus, par sa thématique, son architecture sensible, constitue après-coup une ardente protestation contre la violence, la dispersion et le dur naufrage de l'archipel d'origine que le critique chérit tant. N'y est-il pas question de perte de soi, de dilution de l'identité, de saccage de la parole ? Le « malaise profond » que déplore M. Prophète est plutôt ressenti à supputer les fondements réels de sa prose. Quelque chose comme « la raison est hellène et l'émotion... » : nous ne régresserons pas avec lui.

Le fantasme de l'origine : l'origine comme fiction

Invu du critique, le drame de la création en diaspora. À moins d'être constamment branché sur une mémoire tiroir-caisse, qui aboutirait aux œuvres fallacieuses d'une littérature sociologique se méprenant sur son objet, prométhéen, l'écrivain d'exil est condamné à résoudre une double énigme : faire de la littérature, c'est-à-dire un jeu sérieux[11], un conte de faits, une jubilation à partir d'un lieu d'exil ; produire de la fiction en intégrant une « origine » (histoire, lieux, douleur) qui est également une création fictionnelle. Et puisque le réel, dans une de ses modalités (réalisme merveilleux), fait manque et se révèle n'être qu'invention, pour désenclaver cette impasse, il faut chercher ailleurs un réel qui fonde cette quête.

Or, la nostalgie de l'exil ne peut se satisfaire de la mauvaise réalité ou de l'imposture du réel. Il ne s'agit plus de reconstruire un passé autobiographiquement perdu, plutôt d'utiliser cette chance historique à portée de nos romanciers d'ajouter leurs voix à cette littérature postnationale, cette littérature de l'exil apparue depuis une génération. Les possibilités de décloisonnement romanesque sont porteuses d'œuvres hors le concert académique, qu'il soit d'avant-garde ou de tradition, hors de l'étouffoir du terroir.

Car trop longtemps on a cru que l'une des finalités inconscientes de la littérature était d'exprimer une culture précise, unique : la « sociologie romanesque ». On se rend compte de plus en plus que l'élixir de vérité de la littérature est la littérature elle-même (*cf. Paradiso* de Lezama Lima, écrivain cubain comparé à un Proust des Caraïbes). La littérature haïtienne a, me semble-t-il, assez souffert de cette oblitération dans laquelle elle s'est d'ailleurs épuisée.

C'est dans cet espace que s'inscrit la véritable rupture annoncée par Jean Métellus et d'autres écrivains. Rupture par rapport à l'espace nostalgique.

C'est pour cela que depuis l'Écriture, fondée sur une interminable errance jusqu'au *Ulysse* de Joyce, l'exil est une provende de lumière, le passé et l'avenir de la littérature.

Le sort peu enviable souhaité à *La Parole prisonnière* le rabaissant au niveau des œuvres de Louis Joseph Janvier et de Demesvar Delorme relève de l'amalgame. Leurs œuvres datées du XIXe siècle, qui ne correspondent absolument pas à leur pratique et à leur environnement socioculturel, fonctionnent comme symptômes révélateurs d'une aliénation : l'effet du mirage métropolitain, la soumission à la langue du Maître. Encore qu'il n'y ait pas d'aliénation sans appropriation. On a tenu rigueur à Demesvar Delorme, le plus célèbre homme de lettres haïtien de son temps, d'avoir dans ses romans mis en scène des princes orientaux, des nobles prussiens. Tout ce qu'on peut lui reprocher, c'est de ne pas avoir transcendé ses sujets par la puissance de l'expression, de ne pas avoir trouvé sa langue « propre ». En art, peu importe le motif, le plus banal ou le plus étrange étant souvent le plus propice aux affleurements de ce qui est enfouissime, le plus redoutable à dire. *Francesca, Le Damné* à relire comme expression d'un refoulement. Processus double alliant pulsion et répulsion face à l'instance culturelle dominante. Forme subtile de marronnage.

La culture populaire haïtienne amorcera son « retour du refoulé » avec Oswald Durand.

À tort, le critique affecte de retrouver chez les écrivains de l'exil un « air familier qui y circule naturellement ». *Folie identitaire*[12] qui persiste et veut, encore une fois, tout ramener à un centre, une substance primordiale, fontaine de l'origine d'où l'écriture de tous ces écrivains promus sous la chape néo-indigéniste de M. Prophète, coulerait de source. Ah ! mère, je ne retournerai point sous la tiédeur des vérandas.

Foin de ce « subconscient esthétique » (*sic*), charabia fallacieusement accolé à tous ; à quoi sert d'écrire si c'est pour dire l'exacte géographie du cadastre. Désencombrons et vite ! le paysage idéologique des effets monstrueux d'une telle thèse. De l'air pur ! De la musique ! Des lettres ! Que le lecteur aille au livre ! Ne pas y voir une soi-disant trahison de l'avoir romanesque haïtien mais l'honneur d'un écrivain.

Encore une fois, un critique, préférant les dieux aux hommes, a laissé l'auteur et son livre sur l'autre rive. Redevable du critique d'avoir amorcé le débat : je lui sais gré. Que M. Prophète — au demeurant un homme de lettres, affable — se soit trompé, voilà le scandale de la raison ; je m'en attriste autant que je m'en réjouis.

Post-scriptum

L'imprimante crépite mes dernières volontés : le traitement du texte s'achève. Quel mot dur pour dire écrire. Pour apaiser mes rêveries diurnes, je mets un disque de CharlÉlie Couture, chanteur nancéen qui fait résonner la langue française sur des rythmes barbares, reggae.

Arrive une pensée douce pour mon vieux pote Alix : éloge de l'amitié. Sur le trajet Paris-Strasbourg, dans l'épais du brouillard, quand la route devenait invue, perclus de fatigue et submergés de joie, nous nous arrêtâmes parfois à Metz ou à Nancy dans les bistrots d'étudiants autour de la place Stanislas.

Drague imparable. Puissance du verbe et des corps. Longues filles somnambules, elles écarquillaient leurs prunelles de khôl et s'alignaient à notre table... Voilà à quelle plus-value — entre autres choses — servait la langue des Maîtres d'alors (Barthes, Foucault, Lacan, Althusser). Discours entremêlés d'un bruit séducteur.

Au petit matin âpre, nous repartîmes comptables d'un surplus de fantasmes dans l'abrasion du brouillard. C'étaient les années 70...

2 La double vie d'un écrivain

DUSSÉ-JE M'ACHARNER ? Hurler dans le désert ? Indubitablement. Écrire. Nommer l'écriture contre le déni de pensée, sans y renoncer, croire à l'énergie de la langue, à la culmination de la langue dans son rapport au réel, à son déploiement altier, dans l'onctuosité du sang, puisque le ruban rouge de *L'année Dessalines* (Jean Métellus, Gallimard, 1986) nous y enjoint. Et bien sûr, croire aux racines mais se défaire rigoureusement des enracinements. C'est mon devoir de violence.

Au moment où l'intelligentsia française s'inquiète — nostalgique de la culture — d'un nivellement de la culture (B.-H. Lévy, A. Finkielkraut), il est réjouissant sinon amusant de voir un économiste, d'ordinaire sagace, se prendre, un laps, de subite passion pour la littérature (Leslie Péan, *Haïti Observateur*, 5-12 juin 1987, p. 15 et 27). Pathétique aussi, le mot résonne en vain, son aveuglement aux mouvances de l'écriture, aux figures qui la transgressent, aux contagions meurtrières d'une conception archaïque sinon terreuse, qui veut une fois de trop subjuguer l'acte d'écriture sous l'historicité. Comme si l'écrivain pouvait encore être un ordonnateur, un traducteur du réel, un Deus réglant sur une feuille de musique les « trois niveaux de lecture » du réel. Pourquoi pas sept ? Tout au plus, l'écrivain n'en est qu'un métayer, un officiant approximatif, un traducteur de silence, toujours menacé d'aphasie. À ce prix, affleurent quelques signes qui n'étaient pas visibles au moment de l'écriture et qui constituent sûrement le véritable enjeu du travail sur la langue, inséparable du jeu avec la langue.

Car enfin les maîtres du XIXe siècle nous l'ont suffisamment martelé. Le style, seul le style peut favoriser l'émergence de rapports imprévisibles entre les vocables et dessiller nos yeux sur le réel : haïtien, plaira-t-il. Qu'est-ce que *Madame Bovary* sans le génie du Flaubert ? Une sordide histoire d'adultère. Quant à la compréhension du réel, les sciences humaines réussissent en mieux et en bien là où le roman échoue renvoyant l'écrivain à son affrontement primordial avec la langue. Ce n'est que justice.

Sous la page, la mer

Exemplaire, une œuvre s'inscrit devant nos yeux. Celle de Métellus — que vois-je là rêvé ? — où il convient de repérer dans le champ de cette écriture deux lieux de production, deux topiques, peut-être deux épaves à la surface des eaux.

D'un lieu

L'exil s'y donne comme lieu de déterritorialisation, lieu de transgression, de plaisir où l'écriture soulève sans la désigner, le nom de l'île. De loin en loin, se dessine, se précise cette rupture. L'écrivain alors plonge dans la nuit d'encre, s'abandonne, devine, plus poète que romancier, les désirs de la langue et les métamorphoses de la création. Les romans *Une Eau-forte*, *La Parole prisonnière*, à lire tels. Sans en épuiser le sens.

Mettons *Une Eau-forte*. Le tome s'entrouvre, fictionne des feuillets dont l'intrigue se déroule en Suisse. En Suisse ? Rien n'est plus hasardeux. Tel peintre, créateur maudit d'un unique chef-d'œuvre, sombre dans l'impuissance. Un chef-d'œuvre, une œuvre de maîtrise, maîtrise de quoi ? Ce terme s'appliquait autrefois à l'œuvre dans laquelle l'artiste, une fois son apprentissage accompli, montrait sa pleine possession du métier choisi et de ses traditions. L'usage moderne de ce terme en a étendu la signification au-delà de la définition limitée à l'artisanat mais en a retenu l'essence. L'image dès lors demeure merveilleusement ouverte sur un réseau plus complexe de significations qu'en première instance.

De Michel-Ange à Picasso, la figure occidentale du grand peintre recouvre à l'inverse de celle proposée par Métellus un surcroît de génie, une prodigalité, un appétit de création qui embrassent formes et couleurs dans une dispersion constellante, contredite seulement par le mythe de l'artiste maudit. Faute de quoi, le génie crée un nouveau monde à son usage. Dans cette mortification — un chef-d'œuvre de refus languit dans une demi obscurité — l'écrivain emporte le prix de composition. Un grand peintre européen auteur d'une seule œuvre : cela frise l'inespéré.

Sous la figure de ce personnage se dissimule, tout à fait visible pour qui sait voir, une cohorte d'ombres innomées, qui marchent seules, hors d'elles-mêmes, leur unique chef-d'œuvre au bout du bras. Davertige avec *Idem* a touché cette solitude-là. Pour s'y assombrir. Jacques Roumain compose *Gouverneurs de la rosée* et disparaît. Figure très achevée de l'extinction du génie comme si toute l'œuvre avait consommé son auteur, l'avait écarté des vivants. La fulgurance rimbaldienne et les obsessions mallarméennes participent par leurs ambitions démesurées de cette entropie-là : commettre le Livre puis se taire.

Quant à *La Parole prisonnière*, les lignes qui y sont tracées furent à tort qualifiées d'exotiques. Une voix s'y incruste, qui récite par bribes une parole sujette aux lois de la langue. Cela est énorme et suffisant. Lors d'un article précédent (*Haïti Observateur*, 1er janvier 1987 ; *Collectif paroles*, février 1987), j'avais soutenu que les écrivains, enfin débarrassés de l'intimidation « nationale » et de la commande sociale, pouvaient revendiquer sans complexes leur attachement au lieu nodal de la langue, et illustrer sa précarité, sa fragilité.

D'un second lieu, le même

Tel un ex-voto sur les trottoirs de Port-au-crime, *L'année Dessalines* solarise la douleur. Réalisme naïf à la manière de... même si, contrairement aux images sacrées, son spectre ne renferme aucun espoir de délivrance miraculeuse. Plus l'œuvre de Métellus avance (poésie, roman, théâtre, essai) plus la formidable tension entre les références culturelles de l'écrivain et son musée imaginaire se dresse. Écrire le pays. Ne pas l'écrire. La langue ou l'histoire. Ce roman, la pièce de théâtre *Anacaona* en attestent. Rythme d'enfer pour un seul homme : un livre presque aux six mois avec les conséquences de dilution sur l'intensité de l'écriture. Que nul n'en doute. Rien de comparable : à vouloir tout embrasser, cette œuvre introduit dans l'histoire de la littérature haïtienne une imminence, un air de défi, voire une inédition. D'où son pouvoir de séduction.

L'affrontement passionnel avec l'écriture, le corps à corps avec la langue qui se manifeste avec tant d'âpreté, nous prenant à témoin, s'accompagnent de bruits et de cris, de murmures et de « tourbillons de sang » : apparaît alors la nudité radicale de l'écrivain, dans l'éloignement et la proximité de deux écritures séparées, qui ne le peuvent. *L'année Dessalines* : une icône anecdotique, symptôme exquis d'une bataille opposant deux désirs d'écriture où l'un recouvre l'autre, à la recherche d'une « connexité » avec la nature, la famille (Vortex signifie tourbillon), avec l'histoire, avec la langue surtout.

Placé au centre de cette texture, l'écrivain Métellus se retrouvera tel qu'en lui-même, dans un état d'absolu isolement, à libérer des énergies lisibles. Le seul rôle qui lui convienne. S'y soustraire ? Malgré les appels au sang dont se repaissent les philistins, l'eût-il voulu qu'il ne le pourrait.

3

Les fruits piqués du réalisme merveilleux

JULIAN BARNES, DANS SON OUVRAGE étincelant d'intelligence et d'érudition, *Le Perroquet de Flaubert* (Stock, 1986), stigmatisait avec une ironie toute *british*, l'opéra sous la jungle, le baroque aux semelles de plomb du roman latino-américain. Il proposait sans vergogne d'instaurer un quota pour ce genre littéraire : guère plus qu'un roman par vie d'écrivain et encore ! Aucune subvention à la fabrication sauf aux romans dont l'action se déroule en Antarctique ou en Arctique.

On pourrait lui reprocher de se prendre pour un nouveau maître penseur à la cognée un peu lourde. Frivole réserve si cette réflexion qui ne concède rien aux modes, cet humour surtout, n'avaient provoqué en moi une jubilation exquise, un doute permanent, une question désormais en suspens sur les monceaux de terre où se prélassent les idées reçues : et si le « merveilleux » ne nous émerveillait plus ?

Le nouvel ordre merveilleux

Le nouvel ordre merveilleux, sa bien-pensance, son cortège d'être triviaux et sublimes, gigantesques à force, au look d'enfer, cyclopéens avec deux soleils comme couilles et combien de lunes comme mamelles... On croyait cela quelque peu daté, fini, bien fini. Au point que je me suis laissé aller à une douce sympathie en ouvrant *Les Possédés de la pleine lune* (Seuil, 1987) de Jean-Claude Fignolé. Quel beau titre pour un baptême de romancier! Quelle magnifique illustration pour une page de couverture ornée d'un Hermès noir aux ailes d'un dragon de nuit!

Naïf que je fus. On en aura bientôt conclu que le réalisme merveilleux en littérature est quasiment devenu une mode, a induit un amalgame entre mode et modernité, a rejoint le bataillon des lieux communs, répondant, semble-t-il, aux commandes éditoriales hexagonales et à la dictature de l'actualité, «dans la grande tradition du roman latino-américain». Me voilà mis en appétit dès la quatrième de couverture. Qu'on compte sur moi pour pousser, sans complaisance, mon couac! dans le concert d'éloges et de réclamer contre l'oubli du paysage et de la sobre odeur des abricots, dans ma mémoire, contre l'autocensure et la folle course des merveilles, un art du roman, un traitement du réel autrement adossés, une dimension du mystère qui ne se réduisent pas aux injonctions conscientes ou inconscientes des machines éditoriales et des lectorats européens avides d'images: — perturbation nécessaire des signes de leurs certitudes par le soleil des Caraïbes. Et qui ne conduisent pas, en outre, à crier au diable! pour une malheureuse effraie attardée dans l'avant-jour. Car le diable ne s'arrête pas toujours là où l'on croit, ne se manifeste guère au carrefour où l'on guette.

Candide ou les figures du doute

La glose sur le réalisme merveilleux pèse déjà plusieurs kilos et fera bientôt une tonne. Il faudrait se demander, en dépit de cette inflation, quels sont les motifs conscients et inconscients, historiques et idéologiques, politiques et esthétiques, qui ont assuré à l'hypothèse du sociologue allemand Franz Roh — il a inventé l'expression *réalisme magique* — une hégémonie telle que toute la production littéraire et artistique d'un continent, latino-américain faut-il préciser, se mesure à l'aune de cette incontournable définition. Le réalisme serait merveilleux parce qu'il s'inspire du merveilleux qui caractérise la réalité quotidienne des peuples représentés, leur folklore, leurs croyances comme leurs gestes les plus simples. Tautologie bouclée. Étonnante saturation du sens pour qui se heurte le front à la magie inhérente à la culture des peuples, et s'angoisse de critères esthétiques intemporels pour juger la pluralité des âmes collectives.

Le réalisme merveilleux : un legs du romantisme allemand

Malaise dans la culture. C'est le sujet du livre d'Alain Finkielkraut, *La Défaite de la pensée* (Gallimard, 1987). Il définit dans des pages argumentées et ramassées les règles minimales à partir desquelles l'intervention intellectuelle peut retrouver toute sa portée, en échappant au double piège de l'enracinement et de l'indifférence au monde.

Finkielkraut démontre très bien les effets du nationalisme culturel et de ses avatars modernes : un certain tiers-mondisme qui a pu, au nom du refus de l'ethnocentrisme européen, avaliser n'importe quoi : aussi bien les excisions de clitoris chez les petites Africaines que l'absence de démocratie dans les pays du Tiers-Monde. Plus encore, Frantz Fanon, désormais qualifié de faux prophète de l'identité culturelle, est formellement accusé d'avoir trompé les peuples de la périphérie. Il aurait substitué la colonisation au profit d'une idéologie de libération nationale inscrite « expressément dans la lignée du nationalisme européen », traduction moderne du *Volksgeit*, le génie national allemand. C'est là où le livre de Finkielkraut est le plus neuf : dans cette mise en cause radicale sur laquelle il conviendra de s'appesantir.

En 1806, sous la fenêtre de Hegel, passent les troupes napoléoniennes — qui viennent d'ailleurs de subir la raclée de 1804, à Saint-Domingue — en direction de Iéna, ville universitaire. Le sabot des chevaux et le bruit des bottes sur les pavés sonnent le glas de la déroute de l'Allemagne, divisée en une kyrielle de despotismes. Face à l'envahisseur français, l'Allemagne retrouve le sens de son unité. C'est alors que l'idée de *Volksgeit* prend son véritable essor. Les remembrements et toutes les mutations économiques accomplis sous l'égide napoléonienne avaient en effet laissé des traces dans les consciences allemandes. Les débats autour de l'idée de nation n'étaient plus seulement théoriques et lointains ; ils se fondaient sur la vie quotidienne, ils touchaient chacun.

Un fait considérable modifia l'appréhension de ce problème, l'exaltation du passé germanique. C'était dans les pays germaniques, ayant en commun une langue de grande culture, un passé glorieux et des traditions religieuses, qu'il fallait trouver des solutions et non plus par l'imitation ou l'adaption de l'exemple français. À cet égard la vague « romantique[1] » qui s'était développée à l'extrême fin du XVIIIe siècle, apportait des explications et des justifications. D'une part, en exhumant d'un passé médiéval idéalisé un état d'esprit populaire (*Volksgeit*), le folklore allemand et l'histoire médiévale des États du Reich témoignent d'une spécificité « nationale ». Du théâtre de Schiller ou de Kleist (de *Wallenstein* au *Prince de Hombourg*) aux romans, et à la poésie d'Armin, de Brentano, d'Arndt, de Novalis, de Schlegel se dégageaient des visions communes : refus de la tyrannie, amour de la patrie, respect du souverain juste, apologie de la littérature germanique souvent opposée au classicisme français ; même le droit historique germanique fut opposé au droit français. Fichte, dans ses fameux *Discours à la nation allemande*, prononcés à Berlin pendant l'hiver 1807-1808, sans grand succès immédiat, y ajouta le caractère « primitif » de la langue allemande, faisant du peuple allemand un « originel » (*Urvolk*) irréductible aux influences étrangères, qui devait accomplir sa mission, c'est-à-dire conquérir sa liberté pour réaliser sa propre spiritualité. Le théâtre, la peinture, la musique même furent mobilisés.

Le *Volksgeit*, nous dit Finkielkraut, est l'exaltation de l'identité collective. Il compense la défaite militaire et l'avilissante sujétion qui en constitue le prix. La nation se dédommage de l'humiliation subie par la découverte *émerveillée* de sa culture. Les cultures nationales sont souveraines, l'homme est pluriel et son mode d'être au monde unique et irremplaçable. Dans cette profession de foi, se trouve également insinuée, en creux, autre chose : tout gravement une tentative de liquidation de l'exigence d'universalité. Le Beau, le Vrai, le Juste, ces fictions nécessaires, désormais renvoyées à un relativisme absolu.

Le réalisme merveilleux — idéologie proposée, je le répète, par un sociologue allemand — s'enracine dans cette conception teutonne de la culture. Affectivité lyrique retrouvée sous la plume de l'africaniste Leo Frobenius (1873-1938) qui pressentait : « ... les possibilités pour l'*homo europeanus* et plus spécifiquement allemand d'atteindre à une virtuosité dans la compréhension des faits qui lui permît de se délivrer du poids des connaissances. » Aux poètes et aux écrivains, il incombe d'illustrer le génie national, de le défendre, d'exalter avec allégresse les particularismes, les valeurs spécifiques, la langue, le folklore et dans leur pratique de « prendre exemple sur cet état de fraîcheur, de merveilleux, de perfection où l'individualité du peuple s'exprime ». Avec le romantisme allemand, la « nature » des intellectuels s'inverse. Sous le nom de culture, il ne s'agit plus pour les écrivains de faire reculer l'ignorance et les préjugés, mais « d'exprimer dans sa singularité émerveillée, l'âme unique du peuple dont ils sont les gardiens ». Et j'ajouterai : dont ils thésaurisent les richesses.

Si le *Volksgeit* veut du même souffle combattre un impérialisme culturel et rendre à chaque nation sa fierté, sa vision du monde souchée dans l'authenticité et l'ivresse nationale, a nourri, sur le terreau malin où fleurissent les mandragores, la barbarie contemporaine la plus abjecte : le nazisme et son pangermanisme. C'est sans doute avec une profonde stupeur — elle assaille quiconque considère d'abord que la fonction essentielle de la littérature consiste à dire le mal — que je retrouve la filiation du réalisme merveilleux des Haïtiens et sa dette inattendue envers le romantisme allemand.

Le *Volksgeit* aux Tropiques

L'analogie en effet est troublante et le dommage causé immense. Ne pas circonscrire cette filiation idéologique et ne pas indiquer le mirage brutal engagent la liberté de penser. Je m'en réclame et m'y attelle, à partir des impératifs d'une éthique minimale : celle qui suppose l'affrontement, la discussion et peut susciter — provocation à courir — un espace d'écoute.

À l'insulte collective que constitue l'occupation américaine d'Haïti en 1915, l'intelligentsia avec Jean-Price Mars vitupère les déprédations des nouveaux colons, oppose avec superbe l'indigénisme, exaltation de la culture nationale. Entreprise courageuse et nécessaire. Dans le même moment cependant, ivres de théorie, et grisés par leur nouveau rôle de protecteurs de l'âme nationale, des gardiens de la culture n'ont eu de cesse que de célébrer l'identité collective contre les dégradations de l'ethnocentrisme. Puisque le merveilleux est une constante de la culture populaire, pour parfaire ce sublime unisson et créer du réalisme merveilleux, l'écrivain doit « se mettre à parler la même langue que le peuple » (Jacques Stephen Alexis). Il doit « chanter les beautés et les grandeurs du peuple comme ses misères, résumer l'ensemble du réel avec son cortège d'étrange, de fantastique, de mystère, de rêve et de merveille ; prendre exemple dans le folklore, reprendre les formes, les rythmes, la symbolique populaire, adapter et renouveler les trésors de la tradition et du folklore : contes, légendes, symbolique musicale, chorégraphique, plastique. » *(Cécilia Ponte, Le Réalisme merveilleux dans les Arbres Musiciens de J. S. Alexis,* Grelca, 1987)

La confrontation est accablante. Le programme réaliste merveilleux, dans ses principes comme dans ses intentions, reprend mot pour mot les concepts du *Volksgeit* et l'impasse idéologique et politique survient lorsqu'avec les mêmes armes il prétend combattre les méfaits de l'ethnocentrisme. Car si le *Volksgeit* aboutit au nazisme, le programme réaliste merveilleux avec ses concepts de fusion dynamique avec l'âme populaire, pourra culminer lui aussi dans un spasme politique où le romancier révolutionnaire Alexis aura été immolé, corps, âme et manuscrits inachevés, sur l'autel de l'identité culturelle.

Ce qui hier correspondait à une avancée morale et intellectuelle face à l'occupant américain, sous couleur d'édifier le peuple, de faire vibrer sa sensibilité, entreprend aujourd'hui de lui interdire toute manœuvre, toute échappatoire hors la mémoire merveilleuse, tout espace de jeu, le piège insidieusement dans sa différence, récuse chez lui toute individualité.

Que l'effrondrement politique et l'obsolescence de ses postulats soulignent l'obscénité de son rapport au monde, la théorie réaliste merveilleuse conserve encore ses chantres anciens et nouveaux, fanatiques de l'identité culturelle, ces nouveaux obligés du monde consignent les individus dans leur appartenance, quitte à en faire des ilotes pour qui « connaissance et ignorance sont une double calamité », nouveau credo du catéchisme merveilleux.

S'en défaire, sûrement, du lyrisme du terroir, qui déréalise le monde.

L'impasse n'en est que plus opaque. Perspicace, Cecilia Ponte dans son essai (*op. cit.*), tente de définir le réalisme merveilleux comme un produit du langage et conduit une utile confrontation théorique à la lumière de la sémiologie. De Alejo Carpentier à Garcia Marquez, en passant par Alexis, le lieu privilégié du merveilleux transcende finalement l'âme collective des peuples pour mieux se décliner dans le génie grammatical des créateurs. Ce en quoi Flaubert, Proust et Céline ont davantage renouvelé notre vision du monde que Kant et Hegel. Réalisme merveilleux : — des exigences diverses, parfois opposées, pour autant de bonheurs d'écriture chaque fois que l'écrivain, pour reprendre l'expression de Luis Cernada, n'a eu de patrie que la langue.

Le souvenir et la mémoire

En parcourant *Les Possédés de la pleine lune*, j'ai l'étrange sensation de lire quelque chose de déjà connu, ou plus exactement de familier comme si, malgré les prouesses d'imagination de l'auteur, son véritable talent d'écrivain était occulté par l'effet d'un procédé. Au fond, un personnage écrit son histoire, un suivant prend la relève, une chaîne sans fin nous parle de la famille et de la folie, de la mort et de la maladie. Chaque page aurait pu être lue comme une épiphanie fugace, subtilisée au grand tout qui la ferait vibrer et lui conférerait un rythme, une essence, une sulfure métaphysique. Au lieu de cela, c'est un livre certes plein de fureur et de bruits, poétisé par moments, mais tiraillé davantage par le souvenir que par la mémoire. On se souviendra de la distinction établie par Walter Benjamin : le souvenir est inerte, la mémoire est création car contrainte de choisir. Les fois où la beauté vient comme par surcroît se poser sur la page : « Vue de loin, grand-mère était une lueur. » (p. 39), l'auteur, trop stratège, violente cet état de grâce, surajoute : « Elle tourmentait la nuit. » Quatre pages plus loin l'expression est reprise, collée au dos du morne Byroth.

Au fur et à mesure de la progression de la lecture, l'accroissement d'images, des corps en décrépitude, des détails, semble obéir à une tactique de piégeage du lecteur et l'effet métaphorique de la répétition, la corrosion du temps et ses cycles, est dilué, délayé sous toutes sortes d'alluvions, de diverticules, appendices au flot principal. Enfin, nulle part, pour maîtriser ce temps, sous la lune dentellière de tragédie, le texte emporté par ses rafales, ne ménage des silences, des moments de rien. Et la place du village qui aurait pu être ce banc de mémoire est jonchée de mouillures.

Alors le discours dérape, mettant en scène des êtres « s'abandonnant avec fatalité au détournement de leur destin » (p. 52) et « allant selon leurs instincts, tirés vers un destin qui les dépassait tous » (p. 59). Les épithètes claudiquent : les griots sont « mordorés », les lunes « pourries ». Lorsqu'en page soixante-treize, voici venir le temps de la bête avec son haleine de mauvaiseté, et que cinquante lignes plus loin, le bourg de Pomboucha exulte dans la splendeur du soleil, je crains qu'on ne se moque de l'intelligence du lecteur. Pire, de son plaisir. Et convoquer Homère ne rachète rien. Je suis heurté sinon dérouté lorsqu'en page trente-six le narrateur fait dire à Violetta, jeune Vestale de l'eau et de la nuit, que « la connaissance est une limite à la vie » et que « la profonde sagesse du peuple impose ignorance et connaissance comme une double calamité ». Déplorons cette aberration qui est la véritable calamité.

Il faut attendre, vers la fin du roman, l'évocation hallucinée des Vêpres de Jérémie, pour que la mémoire politique, rigoureuse, authentique joue son rôle primordial de création et de transformation du pogrom d'une famille mulâtre en gestes d'écriture.

Du rôle de l'écrivain : l'obligé du monde

Si nous acceptons volontiers des créateurs et des artistes qu'ils projettent sur l'écran de nos sensibilités des monstres terrifiants et des bêtes à sept têtes (ou multiple de sept), c'est pour qu'ils puissent aussi y dessiner des colombes. À nous offrir l'éphémère spectacle de figures soumises telles des girouettes à leur destin funeste, l'auteur prend le risque de nous faire lire son roman comme un pur exercice formaliste, qui sonne comme la crécelle de théories esthétiques. La stratégie féconde, sensible, qu'il présuppose fait manque, rachetée par moments, par une puissance d'analyse froide et poétique.

Car pour Jean-Claude Fignolé, fondateur d'un mouvement littéraire appelé spiralisme, la littérature est une catharsis, une purge des passions dont le produit libère davantage une pierre baroque forgée dans le moule stéréotypé de la latino-américanité, qu'un diamant noir combinant la rigueur de la narration moderne à l'incandescence de la perception poétique du monde. À la différence du Français moyen qui se croit volontiers cartésien, l'écrivain latino-américain pense appartenir à une culture dans laquelle prédominent le vitalisme et l'exubérance, et se croit contraint, nouvel obligé du monde, de transposer ces attributs à la littérature. Mais justement, si le labeur d'écriture commande une quelconque raison d'être, c'est dans sa capacité de déterritorialiser la langue, de modifier l'imaginaire collectif. Les idées reçues lui sont dès lors inutiles, même néfastes. Et son devoir serait plutôt d'y contredire.

Il n'est pas question ici de se poser en un quelconque donneur de leçons, qui assénerait des points de vue péremptoires depuis je ne sais quel dogme, mais plutôt d'entretenir ce doute permanent, d'induire des questions toutes portes ouvertes, d'oser aller à contre-courant des préjugés d'écriture d'une époque et de manifester une résistance obstinée à l'actuelle confusion des valeurs : connaissance et ignorance dispersées dans un arbitraire mystificateur.

Si ce n'est pas la vie qui devient de l'écriture mais la littérature qui devient du vécu, le rôle de l'écrivain est alors parfaitement défini : c'est un dangereux dissident qui, loin de « parler la même langue que son peuple » (J. S. Alexis), rend à la communauté culturelle à laquelle il appartient une langue autrement différente de celle qu'il a reçue de cette dernière, et qui ne se contente pas de ressasser : « sa ou pa konnin, pi gran pasé-ou » (ce que tu ignores te dépasse, p. 136). L'effet de ce proverbe sous la plume de l'auteur est désastreux, qui, épuisant toute neutralité, se laisse subjuguer par la tiédeur maternelle des adages populaires, infaillibles par définition.

Car le roman, mode d'exploration du monde, n'est-il pas l'art de décrire « le mal par le bien » (Marthe Robert), de soumettre le chaos à l'ordre, à la clarté de la composition, le lieu où la fiction vient au secours de la réalité ?

Je n'ai pas cherché de contrepartie optimiste dans *Les Possédés de la pleine lune*. Point n'est besoin sinon à y trouver une métaphore énorme et proliférante, un essor de la littérature haïtienne de l'intérieur où passerait un souffle authentique, une mémoire vierge qui réclamerait, sans l'oser, des migrations. Tout se passe comme si la vraie valeur de ce roman réside non dans sa dimension stylistique, mais comme témoin de la crue littéraire post-duvaliérienne. Que dans toute œuvre littéraire persiste un conflit entre les référents culturels de l'auteur et une pulsion intérieure qui cherche à liquider cette historicité, telle est ma conviction. Tout le reste est contingent. Y compris les surdéterminations qui enclosent la littérature latino-américaine dans une anthropologie univoque.

C'est pourquoi, malgré mes réserves, je l'accueille comme un surgissement de voix enfouissimes sous leurs longues robes de deuil. Mon compère, quelque chose se passe dans l'île.

4 Opus nigrum ou éloge de la douleur

Un Éthiopien peut-il changer sa peau?
— Jérémie, 13, 23

LA LITTÉRATURE COMME ESPACE DE PROMENADE. La littérature comme lieu de merveilles. Voire comme sympathie pour le papier. Comme mensonge, celui de la fiction, qui tente de rejoindre ici la vérité; d'atteindre et d'étreindre les possibles. Vérité… en tant que quelque chose d'autre… l'œuvre séduira le lecteur, enfermé dans ce mot de beauté, en dépit de l'iniquité du monde, de la faille au mitan des choses; au mitan de cet objet paradoxal qu'est un volume.

Mais, sitôt que le plaisir se dérobe, la littérature avoue un écroulement; suppose une sorte de catastrophe — sans laquelle il n'est pas d'art —, et le vide même que régissent l'anxiété et le souci. Avant que nos vies n'aillent à l'oubli, un livre (!) *La Pacotille*[1] ressurgit; vient nous rappeler que la barbarie est la seule forme d'imagination admise par le plus grand nombre — en ces temps modernes où la tyrannie accomplit sa mauvaiseté.

Une autofiction

Gérard Étienne est un homme des marches extrêmes. Un homme en partance. Il aime son pays tout autant qu'il exècre sa laideur. Partout à Montréal, à Moncton, à Genève, à Rio il requiert cette partie des mots, diffuse, dissoute, depuis la cahute de l'enfance. Sans doute souffre-t-il de son enfance, du grand crime de la naissance, de cette terre où l'on passe — faussaire du lieu impossible — de la nature à la culture. Dans le secret des îles, d'Haïti à Montréal, il ourdit patiemment une œuvre solitaire, à nulle autre pareille, toute gouvernée par le déchiffrement : un étrange alliage d'intime et de volubilité. Plus encore, avec une passion et une détermination qui se démarquent du vœu qu'émettent habituellement d'autres écrivains — s'éclipser et ne laisser que son œuvre —, Gérard Étienne cherche à élever celle-ci à la hauteur d'un *opus nigrum.* Nigrum veut dire : dont l'augure est sinistre. Tentative presque alchimique de dissolution et de calcination de la douleur… sorte de précipité noir… la chair des mots sur la page blanche… *Solve et coagula* (Marguerite Yourcenar, *L'Œuvre au noir*). Que la lecture de ce livre heurté, ne fuyant ni la tension ni la violence, conduise au souffle d'un enfant mort ; et que l'émoi s'alarme de voir un écrivain céder aux signes essentiels de sa propre urgence. *La Pacotille* nous en offre un bel exemple. Propos autobiographique d'une extrême singularité. Violent réquisitoire contre le pays natal. Dans le silence hypocrite de l'amnésie historique, cette parole emprunte les rêches sentes, au risque de la provocation et du scandale, où Gérard Étienne délave ses mots jusqu'à l'écorchure et les dépouille du désir de plaire.

Singulier itinéraire que celui de ce romancier, issu d'un monde populaire, né au Cap-Haïtien en 1936, dans le ghetto de La Fossette, exilé à Montréal au début des années soixante, qui s'ingénie à transmuer la donnée biographique en clé et genèse d'une écriture.

La maladie d'écrire

La maladie, métaphore de la mort. Jeu risqué au cours duquel l'écrivain immole sa raison. En contrepartie, il se console et se résigne à sa folie. Ainsi, l'épilepsie du narrateur explique non seulement la violence de l'œuvre, mais détermine son souffle haché, son innomé grotesque ou hilarant, ses logorrhées infernales ou cocasses, sorte de soliloque à la dernière personne. Reflet d'un monde réel, celui de la misère urbaine et des préjugés de classe et de race, la virulence d'Étienne réalise une stratégie romanesque fondée sur le dénigrement systématique du monde. Nègre! Loin de briller comme un soleil, le mot tonne comme une malédiction. Cet être-là aura « les lèvres épaisses, les cheveux crépus, le nez écrasé »; brutifié quand il n'est pas gros, laid, puant et libidineux. Tous ces sèmes corrélés de vérole morale, amplifiés *ad nauseam* à chaque page du roman, naissent d'une matrice idéologique connue depuis le comte de Gobineau; sans qu'il faille taire le symbolisme des couleurs de Frédéric Portal (1837) pour qui « Le noir est la négation de la lumière: il fut attribué à l'auteur de tout mal et de toute fausseté. »

Thème constant du livre, qu'est-ce donc « la bête »? Monstrueuse figure de soi? Image pétrifiée de l'aliénation? Sans doute, tout cela. Encore que la réitération obsessionnelle du procédé nuit à la portée de la dénonciation et alourdit le récit. Faut-il comprendre dans l'aveu du narrateur « Bête moi aussi » un renvoi au monde de l'animalité, y voir une figure au rictus terrifiant, telle qu'elle gît, pernicieuse, dans l'imaginaire du mâle blanc et ô combien! plus néfaste dans celui du narrateur. La véhémence de son discours illustre une conception radicalement sado-masochiste des rapports humains. L'amour entre père et fils, « la magie reconquise du père » implorée, pitoyable à force d'être implorée y est la grande absente; et le pays natal, la source inépuisable de la haine. Et pour que l'inceste ne fît pas défaut, le narrateur doué aussi de velléités anales, transgressait le tabou avec sa mère et une virago de belle-mère (sujet emprunté incidemment à Plutarque). Souillon, tueuse ou putain, la femme occupe le pôle le plus abject du roman, envenimant et emmenant le narrateur dans l'au-delà de la castration. Bien vite, il s'établit tout au long du roman une intimité de bourreau à victime: la cruauté de l'un contamine l'énonciation de l'autre, tandis que les circonstances historiques se chargeront de les absoudre tous les deux.

La mémoire du présent

Peut-être aussi faut-il méditer à propos de *La Pacotille* cette réflexion de Borges : « Tout homme est deux hommes, et le véritable est l'autre. » Et c'est cette part, ouverte comme une incise, qui inexorablement triomphe sous forme d'énigme, sans jamais nous prémunir tout à fait — quand bien même nous eûmes consommé toute l'expérience de l'opprobre — contre les retours insistants du mal.

Aussi, importe-t-il de s'interroger. Que deviendrait la mémoire d'un pays sans les écrivains, sans ceux et celles qui s'élèvent un rien au-dessus de la politique ?

Le roman se déroule sur deux pays ; voire dans deux univers : Haïti et le Québec, « terre de Jacques Cartier... des petits Blancs » (et accessoirement des autochtones dont il n'est pas fait mention). Ce douloureux monologue fait alterner selon un mouvement comparatif incessant, deux pôles : l'un répulsif, mortifère : Haïti, lieu d'origine imposé au narrateur comme une fatalité à la fois physique et psychique, l'autre attirant, régénérant : le Québec, lieu d'élection. Montréal par sa lumière, la douceur de ses femmes blondes, l'hospitalité de ses poètes, permettra au narrateur de renaître à lui-même sous un autre nom « moi, Ben Chalom ». Si cette nominalisation est amenée au début du livre, la découverte d'une nouvelle religion, d'un Dieu sans couleur — le judaïsme est ainsi suggéré — offrant au narrateur le salut et lui permettant surtout d'échapper à sa condition ne survient qu'à la péroraison du texte.

Dieu sans couleur ? Rien n'est moins sûr. Car même la tradition judaïque n'a pu transcender l'épitomé biblique de la fatalité et de la permanence : « Un Éthiopien peut-il changer sa peau ? » (Jérémie, 13, 23). L'incongruité de la construction aura évité à l'auteur l'illusion de la maîtrise que le délire et la vérité puissent s'enclore dans le même geste.

Tout le discours inaugural du roman pourrait s'articuler autour d'une quête pour l'identité et la civilisation. « Mon chagrin, c'est que je n'avais pas d'identité » geignit Ben Chalom tout en consentant à ce double mouvement. De la primitivité et de la nature à la civilité et à la culture. De la horde primitive à la citoyenneté. Ben Chalom — une créature humaine dépouillée, seule avec elle-même, comme il fallait bien que nous le fussions tous — hommes et femmes du Sud en proie à une insoutenable oppression et tels ! des damnés de la mer en fuite vers un Nord libérateur.

L'odyssée du héros, si l'on consent au sens le plus ancien de ce terme (un homme affronte sa vie comme un destin), renvoie à celle des Hébreux en fuite vers la terre des origines. Ainsi l'avouera, en filigrane, le paratexte de l'ouvrage, indication peut-être inconsciente, sublime d'effets de vérité et d'ironie. Le projet d'écriture est dédié à celle qui eut « l'idée originelle (*sic*) de ce roman ». D'originels, nous ne connaissons pourtant que la grâce et le péché — quand bien même la dédicace, au comble d'elle-même et du goût sans nom de l'origine, témoigne d'aveux qui se crurent incomplets.

Sommes-nous tous inhumains ?

Chercher dans l'humain les traces de l'inhumain. En soi-même d'abord. Vaste programme car chacun de nous étant capable du pire. Là réside l'interrogation essentielle de ce livre. Roman d'un homme dépouillé, meurtri, dévasté. Nu de douleur. La tragédie de Ben Chalom est la tragédie de ce siècle comme des cinq siècles génocides, déferlants de cruauté. Il y eut le génocide des peuples d'Amérique. Il y eut la Traite esclavagiste, l'holocauste des holocaustes. Il y eut Auschwitz. L'esclavage a pris appui sur le racisme : idéalisation paranoïaque de l'homme blanc qui, dans un délire de grandeur, se proclame maître du monde et renvoie les peuples de couleur dans un « hors sens », une outre-humanité. Ce racisme se perpétue. Il a envenimé les personnes de descendance africaine de la haine de soi — effroyable misère de l'âme. Peut-être est-ce là son plus terrible méfait.

Ce roman des gouffres s'achève sur une triple issue. Certes, l'intégration à la culture d'accueil réalise, par le biais des adoptions idiomatiques québécoises qui émaillent le texte, une communication dans la langue, de sujet à sujet. Apaise-t-elle pour autant l'extrême solitude de l'immigré ? À cet égard, la longue liste des personnalités québécoises citées entache le discours d'un malencontreux effet de complaisance. Alors que deux ou trois portraits bien rendus eurent suffi à notre sensibilité.

Il y a autre chose. Ben Chalom se veut poète, se proclame révolutionnaire, embrasse le judaïsme. Or, les Juifs n'ont-ils pas été aussi antisémites pour avoir transmis les révolutions communistes ? Les utopies socialistes, aussi généreuses qu'elles fussent, n'en demeurent pas moins tyranniques dans ce qu'elles comportent de négation des droits de l'homme et qui plus est ! des traditions hébraïques.

Dans les dernières pages émouvantes, graves de beauté, le narrateur enivré de souffrances ressent le besoin non moins prégnant de l'Autre et d'une écoute humaine réparatrice. Le docteur Gosselin. Métonymie d'un nom qui hèle et embarque la fiction dans la soif d'une filiation... du côté du Maître. (*Gosse* renvoie au fils ; tandis que la syllabe *lin*, chute du mot, relaie le lien et la demande de filiation.) Peut-on alors parler de métaphore paternelle de la jouissance — « encore, encore » avoue le docteur — et voir même dans le mot Gosse-lin un signifiant du Nom-du-Père ; ce Maître blanc dont le narrateur fantasme d'être le fils « beau prince mulâtre... aux yeux bleus » ? L'appel à l'amour du Maître tout-puissant soutient la plainte de la victime... et la précède même, sinistre prothèse, dans le désir de la mère.

Éloge de la douleur

Pour autant que les écrits de Gérard Étienne nous plongent dans une poétique du malheur, ils ne sont jamais dégoûtés de l'existence. À force de rejointoyer l'une contre l'autre les deux faces de la bête humaine, de frapper l'une contre l'autre la rancune et la miséricorde, l'écrivain conspire notre bien. Le lecteur, chose étrange, se rapproche de lui-même. Aussi se résigne-t-il à jouer le rôle de l'auteur. Manière de se prémunir contre le chantage à la douleur, contre la complaisance sur soi. Dans l'après-coup, qui donc doutera de l'existence du mal? de notre réticence au bien?

S'il est vrai que nul ne s'engendre ni ne se fonde, l'intensité de toute blessure, qu'importe le traumatisme, provient du plus émouvant des désirs: envoûtement secret auquel, pourtant, il faut renoncer; pour aimer les femmes en hommes et non en fils, et ne point se dérober à la castration. Pour sublime que fût l'acuité de vision, la douleur est l'objet toujours d'une fiction et nulle dévastation ne fut autant rêvée... artificielle... hormis les marques sur la peau... qui ne dispensent point un écrivain de ses devoirs éthiques. S'écrire! hélas! la transe d'un style ne saurait suffire. Dans ce livre tout à la chaux et à la cendre, rempli de fureur et de bruit, de phrases brèves souvent orphelines du verbe, Gérard Étienne aura profané le malheur. Quelle autre œuvre, dans une irrépressible propension à la perte, fond si étroitement l'identité et la négation de soi? Quelle autre tracée malmène et pleure, comme d'une violente nostalgie, le ressouvenir des pères?

5 Figures de la maternité chez Frankétienne

La mort est la mère qui nous relie à l'origine.
— Charles Olson

DANS UNE LETTRE À WILHELM FLIESS[1], Freud constatait : « Quelle inquiétante étrangeté quand la mère chancelle, seule à se tenir entre nous et la Rédemption. » S'agissant de littérature, deux romans de Frankétienne[2] permettent de mesurer cet effet d'inquiétante étrangeté. Ce sont *Les Affres d'un défi* (1975) et *Fleurs d'insomnie* (1986) dont les titres recouvrent l'angoisse de castration, autre nom de l'étrangeté. Car si les fleurs représentent les organes sexuels des plantes, l'insomnie vaut une défense contre la perte réelle ou fantasmée de ces attributs.

Pourtant, je me proposais de gloser des pères dans les romans de Frankétienne, de leur présence, de leur absence quand bien même ils fussent présents et surtout de la sinistre prothèse qui les remplace dans l'inconscient des fils. Cette quête pour l'amour du père — séduction par le père — j'en ai signalé la prégnance dans une étude précédente portant sur le roman *La Pacotille* de Gérard Étienne. Père primitif dont la fonction protectrice — la plus archaïque de toutes — fonde l'identité du sujet, en lui interdisant la symbiose maternelle. Quête d'autant plus douloureuse qu'elle ne se nomme point. Selon Lacan, le phallus fonctionne comme un agent de division, rompant la relation mère-enfant et permettant la réorganisation, au prix d'un renoncement, de l'imaginaire. En ce sens, le phallus « castre » le sujet, peu importe son sexe. Parallèlement, par son rôle dans la destruction de la dyade mère-enfant, le phallus joue un rôle privilégié dans les relations ultérieures de l'enfant avec le langage et la culture. Malgré le vide apparent du phallus, lui-même un signifiant, il ouvre au sujet l'ordre du symbolique. L'inconscient est structuré *comme* un langage. Aphorisme lacanien que césure, homophonie et condensation permettent de détourner ainsi : l'inconscient est structuré, commun langage.

À ne point les nommer, c'est donc des mères que je parlerai, au comble d'un paradoxe dont nul n'est dupe. L'image de la mère chez Frankétienne est une construction élégiaque, le résultat de la perte internalisée d'une mère préœdipienne[3]. Cette construction fantasmatique idéalise la relation mère-fils et suggère un état de plénitude originelle que sous-tend le désir maternel d'une progéniture mâle. La séparation d'avec une mère tant idéalisée représente une perte irréparable : le corps de la mère est le foyer du deuil :

> [...] déballage aux pieds de la Vierge des miracles, ô reine guerrière, ô vierge bien-aimée, femme-flamme recroquevillée, femme ouverte aux épines, aux écorchures, je bois l'eau maternelle de mes désirs. Je bois le lait délirant de la malédiction.

La mère chez Frankétienne est donc un personnage de roman, moins comme une personne avec son caractère et ses mentalités, davantage comme une figuration de l'archaïque, l'écrivain l'ayant placée aux origines, plus même à l'origine :

> feu maternel modifiant la métallurgie de mes rêves, corps-à-corps brutal de ma chair à mon ombre lesbienne, apprenant à mûrir, suçant le miel occulte des ténèbres.

Le corps de la mère ne peut sans doute plus être réapproprié à la fois comme lieu de Rédemption et lieu des ténèbres. Origine et Autre [the (M)other], la mère préœdipienne n'échappe point aux effets également dévastateurs de l'idéalisation et de l'arasement. La Mère, avec une majuscule qui accentue sa toute-puissance n'est pas nommée. Déesse, elle trône dans la solitude. Femme-mère, femme surtout sans homme, spectrale, se peut-il qu'elle soit aussi sans père :

> C'est une jeune femme sans homme, allaitant ma part impure des fantasmes de mère porteuse, surcharge de ma grossesse mentale.

Se peut-il aussi qu'elle soit la mère spectrale. La mère de la Mort. Dans ce lieu se croisent la Mort et les Morts avec leurs cadavres outragés pour lesquels la mère ci-devant femme devient alors la gardienne des mémoires.

« Les mères n'écrivent pas, elles sont écrites. » Exprimée simplement, l'affirmation d'Hélène Deutch informe les théories psychanalytiques sur l'écriture et la création artistique en général. La création littéraire devient alors un objet transitionnel[4], la langue un substitut de la mère, plus exactement dans cet « espace potentiel » perdu qui existait entre la mère et l'enfant et que l'écrivain persiste à reproduire.

Pour Mélanie Klein[5], la mère — ou plutôt le corps de la mère — fonctionne comme « une terre magnifique à explorer » : l'écrivain, comme l'explorateur, l'homme de science ou l'artiste en général, est mû par le « désir de re-découvrir la mère des commencements dont il a perdu le souvenir et le sentiment ». L'œuvre d'art représente le corps de la mère, détruit répétitivement dans le fantasme mais reconstruit, réparé par l'acte de création.

> We shall not cease from exploration
> And the end of all our exploring
> Will be to arrive where we started
> And know the place for the first time.
>
> — T.S. Eliot, *Little Gidding*

Chez Frankétienne, la langue (corps de la mère) est utilisée dans un registre unique de violence, emportant toute balise et toute loi que n'incarne aucun père. Femme-loi, la mère de Frankétienne rappelle surtout que la raison mortifère des hommes en armes et en uniformes n'est pas une loi.

De ses seins de femme coule « le lait délirant de la malédiction ». Des deux seins l'un aurait été au père, l'autre au fils dans une bivalence lactée : « apprenons à mûrir en suçant le miel occulte des ténèbres ».

Ce miel occulte, ambroisie et poison, est bien sûr fait pour tuer la mère quand ce n'est pour empoisonner[6] le nourrisson. Tuer la mère, reine omniprésente à proscrire dans sa toute-puissance. Si d'aventure le désir du fils constitue un obstacle à son excrétion, le lait de femme pourra alors monter à la tête de la mère et la rendre folle.

Lait, succion, allaitement appartiennent au réseau fantasmatique de l'oralité et de l'incorporation. Les sèmes connotés par le pulsionnel dévorateur expriment de manière assez subtile l'appréhension de l'inceste, autre forme de l'appréhension de l'origine qui ne peut se faire que par la fiction ; — toute littérature est hantée par l'origine.

Frankétienne ou une ombre sans re-pères

L'idée à peine ébauchée, je me contenterai à ce stade de formuler une question. Être Haïtien, est-ce être sans père ? Question redoutable de n'être pas posée plus encore que de l'être. Toute écriture redevable de circonstances historiques concrètes, c'est donc sous la pression de l'histoire que s'établissent les écritures : ainsi celle de Frankétienne.

Le refoulé primordial tient peut-être au sème. Moyennant quoi c'est lui qui soutient les autres refoulements, leur retour insistant du lieu d'où la tribu s'aime ou se déchire dans la haine des siens. L'impasse du sujet aux prises avec son désir ou tant qu'il est conscient, la capture de ce sujet dans la sphère maternelle — telle mère, tel fils — cette impasse sera redoublée par une autre : celle du lien social où le sujet est pris et qui, à travers les us et abus de l'histoire référera au mensonge intrinsèque de la parole absente (celle du père) et au trou béant du langage.

Que faire de ce vide? Le remplir de symbolique? En tout cas le désir d'y mourir, d'y laisser sa peau reste palpable. Frankétienne ne part pas en exil durant les trente années de la dictature duvaliériste. Désir inscrit quelque part — d'où il prendra comme tout désir naufragé — des airs de prophétie.

Le corps tuméfié, outragé, calciné d'autrui est un non-lieu, pure obstruction et n'a d'autre part que maudite. Le lait de la malédiction, l'utilisation obsessionnelle de la métaphore renforce le *fatum* et débouche — étant d'une tout autre portée que l'énonciation de la parole portée — sur une configuration suprême engendrée par l'écriture. Qu'arrive-t-il à l'écrivain dont le corps est le corps même de la mère? Il se précipite alors, pour donner — à corps perdu — un support à la parole paternelle et la sauver de sa nullité intrinsèque, en se rendant au rendez-vous du mensonge d'un autre vide pour bien sûr y laisser sa peau[7].

Aux limites de cette entreprise se profile la bifurcation entre l'issue chrétienne et d'autres plus morcelantes:

> Une si horrible clairvoyance au bout de tressaillements utérins, le Christ naît de mon sexe sacré.

Le fils allant se sacrifier pour sauver le père de sa propre perte prendra des airs de Messie qui n'échappent pas aux femmes.

De ce lieu historique où le siècle finissant contemple tous les autres apparaît l'image éblouie du meurtre du père éclairée par le père des meurtres:

> Mon père, malade, a été soigné par les animaux d'un bois. En échange, il fit don de moi au sorcier. Mais le sorcier guérisseur a la mauvaise habitude de dévorer les enfants. Ah! Je vais pleurer tout mon saoul.

De quel père s'agit-il ? Du père blanc, cruel et sadique, maître absolu de la plantation qui renie sa progéniture[8] avec les esclaves africaines ? Ou de l'autre père, humilié, esclavagisé, « castré », utilisé uniquement comme géniteur à des fins de reproduction biologique ?

Conclusion

Depuis ce vice intérieur qu'est l'écriture, en traversant le corps des femmes, la vérité sort toujours de gré ou de force de la bouche des mamans. De même la maternité est en dernière instance le drame de l'enfant, de même la création littéraire. Dans les deux cas, la mère est l'antre essentielle cependant silencieuse, le miroir dans lequel l'enfant cherche sa propre réflexion/réflection, le corps qu'il cherche à se réapproprier, la chose qu'il perd ou détruit répétitivement, et qu'il cherche à recréer. « Un écrivain, dit Roland Barthes, c'est quelqu'un qui joue avec le corps de sa mère[9]. » [1973, p. 60]

Il faut relire et méditer ces passages des Évangiles dans lesquels le Christ renvoie sa mère : (Qui est ma mère ? demande-t-il). Il s'en débarrasse même carrément, sur la croix, entre les bras de Saint Jean, sous la forme d'une transmission assumée du savoir :

> Jésus voyant sa mère et près d'elle le disciple préféré Jean dit à sa mère : Femme voici ton fils. Puis il dit au disciple : Voici ta mère. Et depuis lors le disciple la prit chez lui.

La résurrection romanesque procède chez Frankétienne par le biais d'une insurrection à l'encontre de la mère pour lui dérober son secret. Écrire consisterait à l'instar du Christ à se débarrasser de sa mère[10], en violentant sa volonté de s'affilier son fils, de transmuter son fils en fille. Plus encore que l'identification à la mère, le point nodal est le style, c'est-à-dire pour l'écrivain ombiliqué dans la langue maternelle, l'angle d'attaque qu'il choisit pour violenter celle-ci, pour exprimer vigoureusement son impiété langagière. En un mot, subvertir la langue maternelle en l'élançant contre elle-même.

Comme il n'y a pas de vie en dehors de la littérature, il n'existe pas de langue en dehors de celle incommunicable, inconvertible, incroyable de l'écriture.

6

Médecin et littérateur : Stanley Lloyd Norris

Les grands maîtres de la littérature régionale, de la narration régionale — les noms de Thomas Hardy, de Faulkner et le Deep South, de Jean Giono et la Provence viennent immédiatement à l'esprit — sont les adeptes d'une technique littéraire qui consiste à dépouiller l'arbre de la narration de son écorce afin de mettre à nu la pulpe centrale. Leurs romans sont bien sûr informés par le particularisme : accents particuliers, coutumes et histoires originales — mais sur un mode candide voire brutal si bien qu'ils ne semblent ni dépassés ni précieux. Grâce à cette honnêteté, nous les lecteurs étrangers à ce monde sommes capables d'apercevoir au-delà de l'apparence exotique des personnages, nul autre que nous-mêmes. Une grande narration régionale commence par explorer nos différences. Elle s'achève dans la célébration de nos similitudes.

Solides et charpentés, traversés par des paroles plurielles, les romans de Norris possèdent quelques-unes des vertus littéraires des classiques du genre. Dans le premier roman *L'Interdit* (1991), comme exigé par le canon, la région élue est le Lac-Saint-Jean ; le village Saint-Avenant, une petite communauté de 750 âmes vivant durant les années cinquante à l'ombre d'une usine de pâtes et papiers (St. Raymond Papers) et surtout d'une petite église blanche en bois provenant tout droit de l'imaginaire rural canadien-français. Le décor est posé pour le désastre quotidien : les riches sont anglais et oppresseurs, les pauvres misérables et canadiens-français tandis que la matière sera tragique à la mesure de la transgression des tabous.

Une jeune femme, mariée sans amour à un rustre, découvre la volupté dans les bras du curé qui a béni le mariage. Transgressions, interdit et démon du midi.

Bien sûr, vu d'une perspective globale, le Québec ou même le Canada constituent des régions et à première lecture le roman ne semble être qu'une énième variation sur le thème de la ruralité ou bien de la survie canadienne-française. L'on pense aussitôt à Léo-Paul Desrosiers ou à Henri Bernard. L'on s'apercevra au cours du récit que la ruralité du Lac-Saint-Jean sera une façon détournée d'évoquer la paysannerie créole, sorte de mise en abîme, effet de miroir ou de réversibilité, davantage à l'œuvre dans le second roman *La Pucelle.*

Stanley Lloyd Norris a beau se défendre, sur la quatrième de couverture, de « n'être ni américain, ni britannique... ni même anglophone ! » et de s'excuser presque d'être né au Honduras malgré un patronyme irlandais, il a trop habité Haïti et est trop habité par elle pour résister dès le second roman à en parler. Pourtant le Lac-Saint-Jean est le lieu, à demi transformé par l'imaginaire, où il a situé le plus grand nombre de ses romans. De ce pays du Saguenay, sur lequel on a déjà beaucoup écrit, Norris, psychiatre de son métier, donne une vision renouvelée par l'acuité de son observation, par son sens des couleurs et le bonheur des images. La vision qu'il donne du Saguenay est inséparable des personnages et des histoires qu'il fait vivre dans ses œuvres de fiction. La terre du Saguenay est devenue celle de l'écrivain. Son mérite est d'y placer les romans qu'il écrit.

Écriture luxuriante, sûre d'elle, connaissance intime de la flore et de la faune auxquelles par ailleurs les ouvrages sont dédiés, ainsi l'auteur construit son œuvre en accentuant les contrastes entre la splendeur de cette niche pastorale, ses champs moissonnés, ses collines couvertes de frênes, de pins sylvestres, d'aulnes et de mélèzes, traversées par les oiseaux migrateurs (Est-ce le narrateur lui-même ?) : les bernaches, les outardes et les nuages gris annonciateurs des passions, qui assombrissent autant le ciel que les cœurs.

Miné par la frigidité de sa femme qui considère les choses sexuelles comme une corvée dégoûtante, Léopold Boily, dit Léo, conduit sa Thérèse chez le curé Marcel Tremblay, confident et ami du mari. « C'est rapport à la chair… La consommation d'la chair. » Une imposition des mains apparemment innocente de l'homme d'église, sorte de geste de compassion, provoque un trouble intense chez la ménagère, une passion charnelle si démente que la Thérèse à Léo, mère de trois enfants, fut happée par une sorte d'extase quasi mystique. Elle utilise alors son mari pour assouvir ses désirs et prend résolument l'initiative au lit. Le pauvre Léo n'y comprenant rien en perdit et son latin de messe et sa virilité. Homme simple, quelque peu bonasse, il se révèle un âpre chasseur au contact de la nature, de la terre gelée et de l'air pur, retrouvant par là ses racines autochtones :

> D'après l'bruit, l'orignal était à pas plus de trois cents pieds, jusse au bord d'la clairière, j'ai câllé comme une femelle qui en voulait à mort. […] T'oublies tout, t'oublies même que tu existes. Tu fais rien que regarder c'te grosse bête-là, c'te maudit panache-là, et t'attends qu'a se vire de bord.

Ce chant cynégétique, mis dans la bouche de l'ouvrier, frissonne de la beauté libre de l'oralité. Mots simples à coups de phrases roulant des cailloux.

Le curé Marcel Tremblay troublé par Thérèse finit par jeter à bas son froc et les deux amants deviennent comme envoûtés de désir :

> Thérèse se souvint de sa nuit de noces. Elle déploya, pour initier le curé, toute la douceur qui avait tant fait défaut lors de ses premières expériences [...] Elle laissa choir le vêtement sacerdotal à leurs pieds. [...] L'haleine chaude et pure caressait le cou du prêtre. (p. 89)

Tant ainsi, puisque une petite Marcelline adorée du curé naquit de l'union adultérine, le roman divisé en deux parties — le Prêtre et le Père — traduit une crise de l'imaginaire social canadien-français ; avec la fin des certitudes religieuses et l'impact de la télévision comme vecteur de nouveaux modèles sociaux. La vision de Marcelline — « Sa fille ! Son unique fille ! » — dormant sur les genoux de Léo rendait le curé Tremblay ivre de dégoût et de haine, en proie à des fantasmes meurtriers. Le village de Saint-Avenant devint un espace pernicieux où s'affrontent le Malin, le Chasseur et l'Église. Les cauchemars de Suzanne, la fille aînée du couple, dont les sens troublés à l'intérieur comme à l'extérieur — l'adolescence survient comme une trombe déferlante — sa fantaisie blessée se réduit à un taureau furibond qui la poursuit la nuit et la conduit à se réfugier dans le lit de ses parents. Petit corps tiède, devenant femme, dont Léo caressait les seins alors qu'elle feignait de dormir.

L'Interdit fournit une intéressante évocation du déterminisme géographique et d'une logique érotico-mystique. Ainsi les hommes seront les victimes de choix de leur passion tandis qu'en revanche les femmes porteront le signe du démoniaque. Ce monde est un monde de dérèglement. Indétermination des corps et des personnes dans un sabbat où la confusion des rôles est particulièrement appréhendée dans l'évocation d'une sexualité déréglée. Le sabbat réunit ce que la nature abhorre le plus : la fille au père, la pénitente à son confesseur sans distinction d'âge, de qualité ni de parentèle tandis que la mélancolie amoureuse portera les deux hommes du roman — le Père et le Prêtre — au glissement symbolique ou réel vers la mort, hantés par la culpabilité et l'expiation.

Et quand Léo, isolé de ses enfants et rejeté par Thérèse, offre sa tempe au canon du fusil « sa joue gauche dans les feuilles mortes », on est ému. À propos de ce roman, pourrait-on dire que la femme représente le fondement d'une nature dont la beauté égale la morbidesse car elle seule possède la conscience de la sexualité et de la mort.

Éloge de la Nature, les paradoxes du primitivisme

Le livre n'échappe pas à un centre qui l'attire... le désir... le secret, la fleur du mâle, la Nature. Norris situe ses personnages dans cet universel et spécifique décor de la forêt laurentienne, dans *la nappe d'or des bouleaux et des trembles* (p. 51), *le rouge de chaque frêne* (*idem*), traversé par l*es sarcelles à ailes bleues ou vertes, les canards noirs et les colverts* (p. 180). À cette occasion, une étude littéraire[1] du roman *Menaud, maître-draveur* (1937), de Félix-Antoine Savard (1896-1982), qualifiée curieusement de périscientifique, publiée en 1938 par le frère Marie-Victorin permet de faire un utile rapprochement avec les romans de Norris. Pour le frère Marie-Victorin, personne avant l'abbé de Charlevoix « n'avait ajusté à un récit canadien un cadre aussi précis et aussi vrai ».

L'idée de ce roman vient d'une blessure. C'est l'histoire d'un paysan qui lutte en vain contre l'accaparement par les grandes compagnies forestières anglo-saxonnes des régions boisées où jusqu'alors lui et ses ancêtres ont chassé et pêché. Trahi par le caractère de ses voisins, presque seul à revendiquer, il sombre dans la folie. Et voilà la blessure : les hommes de Charlevoix — héritiers des conquérants — en sont réduits à des tâches modestes au service du grand capital anglais. Les terres sont devenues la chasse gardée des anglophones qui les ont achetées. Ce Charlevoix devient peu à peu l'image de l'Amérique du Nord perdue. Félix-Antoine Savard accorde une attention particulière aux questions de langue et de style. Humanisme scolaire et traditionnel se rejoignent et se complètent; la littérature s'inspire du folklore. C'est au contact des défricheurs, des paysans et des pêcheurs, attentif à leurs misères et à leurs exploits, charmé par leurs récits et leurs contes, chansons et légendes qu'il tire le thème de ses livres. Artiste exigeant, il transforme une poésie frustre et spontanée en des pages d'une étonnante beauté verbale. Cette ambivalence, le rythme la traduit: « Joson sur la queue de l'embâcle était emporté, là-bas... » Pour Marie-Victorin, la vraie valeur de ce roman, digne de figurer dans l'anthologie de la littérature canadienne, provient du fait que l'auteur a su exprimer le paysage laurentien, « ensemble unique physiographique à peu près unique au monde, et qui emplit les yeux de tout un peuple, tout un peuple qui parle français ». Le commentaire du savant botaniste, en faveur de l'aliment d'une littérature propre — indigéniste pourrait-on dire —, s'inscrit dans la lutte des élites canadiennes-françaises pour une pensée nationale. « Nous ne possédons guère encore, écrivait-il, ce que l'on pourrait appeler une pensée totalitaire ou au moins suffisamment définie, exprimant les divers éléments d'une vie nationale: race, religion, culture[2]. » Pensée totalitaire, avons-nous lu, sans doute que l'époque convenait aux systèmes globalisants et homogènes. Dans cette vision soumise à l'idéologie, la littérature fonde la communauté imaginaire qu'est la nation car il ne suffit pas « d'être de même sang et de prier le même Dieu » pour en constituer une. Mais la littérature malgré son prestige ne saurait suffire à la noblesse de la tâche, encore faut-il adjoindre l'exaltation du lieu, le cadre sauvage de la grande forêt, en lisière de laquelle se déroule la longue fresque barbare en l'honneur du feu, le terrible Wotan.

Que faut-il penser d'un tel primitivisme sous la plume de l'ecclésiastique catholique? Le primitivisme est le fantasme du lieu absolu. Lieu de l'Origine. Mythe d'autochtonie qui veut originer sa pensée de la Nature même et l'arrimer au Lieu, en l'occurrence pour Marie-Victorin la savane laurentienne.

Au lieu d'assumer la caractère mutuellement exclusif en

Occident de la culture et de la nature, il convient plutôt de souligner la force des liens qui font mentir la dichotomie. Puissance souvent occultée sous les alluvions du lieu commun. Les cultes[3] de la forêt primitive, de la montagne sacrée, du fleuve nourricier, soi-disant l'apanage des cultures dites primitives, sont en fait bien vivants, encore à l'œuvre dans les cultures occidentales. En Allemagne par exemple, la forêt primordiale était le lieu de la résistance tribale contre l'empire romain de la loi et de la pierre. Sans oublier la tradition poétique de *la doulce France* évoquant un espace d'harmonie entre l'histoire et la géographie. La savane laurentienne est une des métaphores de la tradition européenne, transplantée en Amérique.

Les mythes de la nature et les lieux de mémoire partagent deux caractéristiques communes: leur indomptable persévérance à travers les siècles, leur capacité à modeler durablement les institutions. L'identité nationale, pour choisir l'exemple le plus pertinent, perdrait de beaucoup sa féroce séduction sans la mystique exaltant la tradition du berceau national: sa topographie cartographiée, élaborée et enrichie afin qu'il mérite le prestige d'un sanctuaire, d'une patrie. À quoi s'ajoutent les paysages « naturels ». Leur représentation peut être consciemment détournée pour exprimer les vertus d'une communauté politique ou sociale. Le discours du frère Marie-Victorin est un éloquent exemple de l'idylle entre nature et culture. Vénération que des siècles de tradition chrétienne n'ont pas réussi à proscrire, irréductible noyau des anciens mythes païens qui sacralisent la nature.

La contradiction n'est pas moindre lorsqu'on s'avise d'examiner l'inadéquation entre un discours primitiviste, qui découle de modèles archaïques, et la profession de foi humaniste de Marie-Victorin; dans toute son œuvre le savant s'affirme convaincu du progrès de l'Homme et du triomphe de la science. Fondateur de l'Association canadienne-française pour l'Avancement des Sciences (ACFAS), il n'a eu de cesse que de rallier ses compatriotes à la plus grande modernité culturelle du XXe siècle.

La question reste ouverte de la fonction et du statut du thème primitif dans l'œuvre du frère Marie-Victorin. Dans l'élaboration d'une réponse, nous prendrons pour éléments l'éloge qu'il fait de la culture autochtone :

> Nos Peaux-Rouges, que nous avons accoutumé de placer en bas de l'échelle humaine, avaient créé dans l'environnement du bouleau et de l'épinette une « culture » qui était une merveille d'ingéniosité et d'adaptation[4].

Plus loin, il compare volontiers les Canadiens français à « une vaste tribu homogène ». Comme si l'appropriation des terres des Amérindiens par les colons français, le mépris de leur civilisation constituaient la faute originelle et que le rachat de cet acte condamnable viendrait de l'antique sauvagerie et d'une pratique plus immédiate, plus intuitive, pour tout dire plus primitive, de la religion chrétienne.

Que penserait aujourd'hui, s'il était vivant, Marie-Victorin du roman de Norris, lui qui appréciait tant chez F.-A. Savard l'accord de la conscience avec la nature, le traitement délicat de l'amour physique et la communion avec les choses naturelles ? Que penserait-il de cette part sombre du granit laurentien sur lequel fleurit parmi les pins blancs, les aralies et les fougères le libre branle de l'inceste, de l'adultère et de la duplicité ?

> Thérèse possédait une beauté charnue aussi riche que la terre grasse, juteuse et un peu sauvage des forêts d'épinettes et de pins sylvestres... (p. 140)

Quant au nouveau prénom de Thérèse, Orchidée, il touche au double culte de la sexualité et de la végétalité. Rappelons encore que le curé Marcel Tremblay débaptise son amante pour la parer du prestige de la fleur. À l'inverse du symbolisme plutôt littéraire, le nom de l'orchidée est empli de mystère, encombré de magie phallique, symbole sexuel taillé dans le bois de l'étymologie. Au plan esthétique, si l'orchidée est une fleur recherchée pour sa grande beauté, le prêtre — et incidemment le romancier — savaient-ils que l'étymon grec du mot (*orchidion*) signifie petit testicule ? La formulation est prise dans la fausseté des apparences. Le corps botanique de Thérèse est une chimère androgyne.

Quelque chose en trop la rend toute-puissante à son insu. Quelque chose en trop la rend susceptible de devenir folle, folle du désir de l'Autre. Son destin est tout entier retracé dans son nouveau nom glorieux d'amante ; elle vit en fait au sein d'un miroitement mortifère. S'il est vrai que nous ne sommes que nos noms, l'orchidée Thérèse symbolise précisément la femme phallique qui conduit, dans une inconscience totale de ses actes et du monde, les deux figures masculines du roman, le père et le prêtre, à la castration finale. Sa vérité se manifeste à elle dans un total aveuglement. Dès lors la volonté de décrypter ladite vérité, de se la représenter, d'en organiser le dévoilement sera reportée à la génération suivante sur sa fille Suzanne. Thérèse Boily est un personnage double, un cas limite : mère utérine mais amante testiculaire.

En tant qu'espèce, l'orchidée produit un autre renversement qui traverse le texte. Espèce qui croît naturellement dans la vallée du Saint-Laurent, elle ne pousse pas sous les mêmes latitudes en Europe. En effet, la présence de l'orchidée dans la flore laurentienne est une énigme de la botanique.

Le frère Marie-Victorin, qui en aimait une passionnément, croyait que la variété n'était pas indigène au Québec mais y avait été importée par les esclaves africains emmenés en captivité des Antilles en Nouvelle-France. La métaphore est inspirante. La chose parle d'elle-même. La femme est une inquiétante étrangère. Orchidée (nouveau prénom de Thérèse) exhale un parfum vénéneux. Ayant ainsi troublé les facultés de l'âme, la sorcière, la folle fera du corps et de l'esprit de l'homme une toile vierge, signe d'une curieuse malléabilité du discours : permettant de rapprocher de manière significative trois figures mythiques de la culture populaire : la putain, le mélancolique et l'ivrogne.

Nègre blanc d'Amérique

Le roman *La Pucelle* (1993) met en scène un drame de la migration. Le protagoniste, Roland Lespérance, est un médecin haïtien qui a des lettres. Il aime Baudelaire. Libertin et amateur de payses, « nègre blanc » comme il s'appelle lui-même, il fréquente volontiers un houmfort (temple) vaudou dont « La Reine » lui a prédit l'exil dans le pays *frette* des Blancs. Cependant déjà dans *L'Interdit*, son arrivée dans la région était annoncée sournoisement, ne serait-ce par la récurrence — quatre fois — du terme nègre, apparu dès les premières pages du roman : « J'travaille comme un nègre » (p. 29), « … un petit nègre, la tête couverte d'un chapeau de paille aux bords élimés… (p. 149) (il s'agit d'une figurine de plâtre exhibée sur une pelouse qu'on retrouvera dans *La Pucelle* p. 246), « Encore un de tes plans d'nègre ! » (p.167) et finalement dans l'expression « sang de nègre » retrouvée vers la fin du livre. Le lecteur attentif n'est donc pas surpris de voir l'avancée vers les horizons bleutés de la vallée du Saint-Laurent de Roland, dit Roro « cogne-à-puce » c'est-à-dire érotomane impénitent. « Doc, mon enfant, tu aimes trop les femmes. Les femmes vont te tuer ! » (p. 23). L'avertissement de La Reine ne le préoccupait pas outre-mesure. Ses origines métisses, italienne, irlandaise, française et africaine, font de lui un être en mutation, hybride, en contrebande dans sa propre culture. Le lecteur, plus enhardi, suppute même une étrange ressemblance du personnage avec l'auteur. À la fin des années soixante, en pleine révolution tranquille, il émigre au Québec, plus précisément à Jonquière, dans la région du Saguenay-Lac-Saint-Jean. Marié, père de deux fillettes il laisse derrière lui à Port-au-Prince, Yolande, une de ses deux femmes enceintes épousée sur un pile ou face, tandis que l'autre condamnée par le sort, Marie-Maude, est contrainte à l'avortement.

Durant les années de sa spécialisation en psychiatrie, il écume sa nouvelle patrie d'adoption jusqu'au jour où il rencontre Suzanne Boily — l'héroïne du précédent roman *L'Interdit* devenue une jeune institutrice farouche et prude qu'un lourd secret taraude.

Pucelle comme la Jeanne, blonde métissée d'autochtone Montagnais, Suzanne vivra une passion pour ce nègre blanc qu'au fond d'elle-même elle méprise. Si elle fait un pacte avec « la puissance, le mystère du nègre » c'est afin de se libérer d'une blessure qui lui barre l'accès à la jouissance. Mais cette passion, la vraie, la passion racinienne transmue les personnages, si gris, si veules peuvent-ils apparaître. Le roman est frappant par l'extrême acuité de la description psychologique, de la naissance et de l'évolution du désir, de la bataille contre l'amour charnel compris comme dépossession de soi. Surtout que l'héroïne est habitée par le fantasme de la toute-puissance sexuelle nègre : « La nature, disait-on au Lac-Saint-Jean, s'était montrée particulièrement généreuse envers les nègres de ce côté-là. » (p. 37)

Là encore, mieux que dans le roman précédent, dans une indétermination plus littéraire, Stanley Lloyd Norris dès lors qu'il écrit ne cesse de pratiquer une musique dialoguée, une oralité qui procède par sauts dans le temps, par bonds, par retours en arrière en forme d'enjambements. Le récit est scandé par des sonneries qui tirent les personnages hors de leur rêveries. Éloge du savoir scientifique, poésie du souvenir, nostalgie du pays natal, vitesse des échanges sexuels. C'est un peu dans tout ce pêle-mêle que Norris puise ses images et affûte son style polyphonique. Proverbes créoles, incursions espagnoles, blues noir américain, jurons québécois : le Babel des langues ponctue la dérive d'un homme en proie aux femmes, incapable de surmonter le fossé qui se creuse entre lui et sa famille désormais transplantée au Saguenay. Tandis que l'écrivain se laisse porter par son plaisir d'écrire, on comprend alors l'attrait de Norris pour le fragment autobiographique. Les contradictions internes des personnages sont une preuve de vérité : tous les états d'âme, tous les masques différents mais complémentaires sont exposés. La métisse Suzanne qui cache sa « sauvagerie » sous une crinière blonde reconnaît son double en Roland, âme nègre masque blanc. Le défi des personnages étant de retrouver une antériorité nègre et amérindienne qui en subsume les oppositions : — à la faveur d'une narration postcoloniale.

La carrière de Roland, plus Don Juan que Narcisse, n'a pas connu d'éclipses : Louise à Saint-Félicien, Murielle au Saguenay et Suzanne Boily à Saint-Avenant. Jusqu'à une Groenlandaise mi-inuit, mi-danoise... Pendant que Yolande, l'épouse haïtienne délaissée, s'abîme dans les disputes et la saleté domestique qu'elle entretient comme une ultime vengeance. Répudiée, elle finit par retourner à Port-au-Prince avec ses deux filles, où elle retrouve son statut de bourgeoise amèrement déclassée à l'étranger.

Du suicide raté de Suzanne à l'accident de voiture de Roland, l'histoire s'abolit dans le non-sens. La migration fut un échec. Blessé, le psychiatre, malade de son âme, retournera vivre en Haïti auprès de sa femme et de ses enfants. La boucle est bouclée. Sa lettre d'adieu à Suzanne dix ans plus tard est un chef-d'œuvre d'indignité. En plus de la critique d'une bourgeoisie haïtienne incapable de s'adapter au Québec : « ... ajoute au caractère ingrat du climat la froideur des habitants, des gens incultes... » (p. 264), cette histoire entrelace intimement une tentative de se réconcilier avec le passé (celui de Suzanne et celui de Roland). La fiction et la réalité se conjuguent pour décrire l'expérience migratoire.

L'espace comme prétexte

L'errance spatiale et culturelle du héros informe la structure du roman. Son parcours est celui d'une quête identitaire sans merci. Malgré ou à cause de son nom — Lespérance — il ne désespère pas d'une complète délivrance. Quête initiatique, à travers le corps féminin, que l'on pourrait schématiquement reconstituer ainsi[5]. Le départ : le héros quitte son pays pour un autre pays, victime de son ambivalence affective. Était-ce d'ailleurs vraiment son pays, compte tenu de ses origines diverses et du débordement de cultures qui s'annulent en lui ? Puis vient l'errance géographique et affective : de village en village, la répétition compulsive des conquêtes féminines ne parvient pas à soulager la souffrance identitaire du héros. L'érotisme vécu comme un acte de libération débouche sur des passions amères. Enfin le retour au pays natal : le suicide raté, masqué en accident de voiture, résume la fin de l'errance. Le protagoniste a eu peur de la mort. C'est au pays natal auprès des siens qu'il ira conforter son identité de père et de psychiatre. Le désir de guérir n'est-il pas au fond celui de se guérir ?

Tragic mulatto selon la tradition littéraire noire américaine ou nègre blanc d'Amérique, terme qui redouble les impasses de la recherche d'une identité québécoise, Roland Lespérance bouscule les frontières de son patrimoine culturel, déterminé à jouir le plus intensément de son indétermination culturelle. Vécue comme une chance. Dissémination et morcellement guettent le héros qui actualise, dans son indécision amoureuse — entre Suzanne et Yolande — une farouche opposition géographique Nord-Sud quand elle ne recoupe pas un antagonisme psychique d'égale intensité. Norris repousse un humanisme littéraire qui parerait la rencontre entre les peuples de valeurs transcendantales. En dédiant son livre au vent et aux senteurs printanières, pour lui seul le plaisir du texte invite à la création — une création qui organise *L'Interdit* et *La Pucelle* en diptyque. L'exercice littéraire prend prétexte de l'espace — de l'île d'Haïti à la savane laurentienne — pour confronter les vestiges du rêve colonial français en Amérique. Roland Lespérance ne s'exprime-t-il pas « avec un accent proche de celui de la Bretagne » (p. 17). Jusqu'à une date récente, les romans produits par les écrivains québécois d'origine haïtienne étaient généralement orientés vers l'île natale sauf en de rares exceptions. Émile Ollivier campe *Passages* à Montréal ; son dernier roman *Les Urnes scellées* (1995) met en scène quelques obsessions que vient sanctionner le retour impossible au pays natal.

Plusieurs romans de Gérard Étienne se passent au Québec. Après avoir placé ses premières narrations à Montréal, Dany Laferrière les a depuis résolument déterritorialisées, le titre de son dernier roman *Pays sans chapeau* (1996) désigne spécifiquement Haïti dans une métaphore de l'au-delà.

Quant à un écrivain de la nouvelle génération élevé au Saguenay comme Stanley Péan, ses livres mélangent les espaces et les thèmes dans une ambivalence ironique — *Zombi Blues* (1996) mariant jazz et vaudou. Qu'est-ce à dire ? Stanley Lloyd Norris renverse ce schéma littéraire conventionnel, se réapproprie le territoire, crée des personnages en révolte contre leur univers quel qu'il soit. Sur les brisées de Jean-Baptiste Point du Sable, explorateur de la Nouvelle-France originaire de Saint-Marc (Saint-Domingue), ou encore sur les traces de Jean-Jacques (John James) Audubon[6], le grand peintre naturaliste des *Oiseaux d'Amérique*, né aux Cayes (Haïti), Norris[7] affirme son appartenance à la nordicité.

Médecin et littérateur, est-ce un bon titre ? Sans doute si nous posons en principe quelque truisme avéré, soit la fascination qu'au fond de lui-même chacun de nous ressent pour ce qui lui fait défaut. Telle constatation justifierait, apparemment, l'intérêt que se portent réciproquement le médecin et le littérateur. Balzac, Zola passionnés par le savoir médical, feuilletant les livres où il se produit, recherchant la compagnie de ses détenteurs, dans l'espoir *d'enrichir* des certitudes de la science leurs ouvrages de fiction. Tandis que les médecins se penchent sur le dire des poètes ou le faire des artistes, intéressés par ces facultés créatrices que leur formation clinique et leur vocation thérapeutique risquent de laisser chez eux inemployées. Médecin et littérateur ne sont point ici deux spécialistes distincts, occasionnellement rassemblés, ou alliés, comme si chacun des deux éprouvait le sentiment d'un manque que l'autre comblerait. Car ce qui importe en l'occurrence, ce n'est pas tant la spécificité du modèle de pensée médical qu'obnubilent les autres relations, logiques de sémantiques, de la cause à l'effet, du symptôme au diagnostic mais le totalitarisme médical comme mode d'objet de discussions, auxquelles les écrivains de l'époque romantique prirent une part active. Le romancier, on le conçoit facilement, est tour à tour fasciné par le prestige de ce pouvoir médical — cette position de maîtrise que s'octroie le praticien dans le discours sur l'homme — et choqué par cette mainmise de l'esprit scientifique sur des objets que pour sa part il consacre à la fiction.

C'est donc à la pratique textuelle que nous ramène l'acte critique, en ce lieu où le pouvoir du médecin s'efface devant l'imaginaire médical. Qu'il s'agisse de la phtisie de Laforgue ou du genou de Rimbaud, on ne saurait confondre la médecine qui est « l'art de guérir les plaies » ou le malade et la poésie qui s'attache à « les entretenir » ou à « s'entretenir avec elles ». À tel point que là où manque la plaie, la poésie — comme Giono l'a montré — s'évertue à l'inventer. Ce qui est en jeu dans cette étude, ce n'est point la maladie, mais cette pulsion étrange, qui détermine tour à tour le médecin qui s'investit dans la littérature et l'écrivain créant lui-même et dans son œuvre le simulacre d'une maladie que la médecine ne connaît pas.

Chapitre II

Prose Combat

7 Manifeste pour une poésie impure, même l'ex-île : vivement !

Nous avons dans la tête une île errante et c'est un dé qui roule vers la chance.
— Bernard Noël

LES MANIFESTES LITTÉRAIRES, de Mme de Staël aux symbolistes, traînent avec eux, en plus d'un nostalgique relent XIXe siècle quelque chose de léché, de théâtral, de désuet. Les idoles déboulonnées aujourd'hui sont rapidement remplacées par de nouvelles déitées qu'une décrépitude, tout aussi imméritée, guette à l'occasion de quelque avancée littéraire… sans oublier la perspicacité du lecteur qui lui aussi manifeste, joue au dupe, crée les œuvres en feignant leur transparence. Est-ce pour cela que les écrivains, depuis Montaigne, le craignant, l'accable du doux nom d'ami ? Vraisemblablement.

Que la langue sur ses parapets paraisse s'ouvrir au long creusement de gerçures étrangères, voilà une intuition forte sinon une illumination esthétique avec laquelle il va falloir compter… Émeute d'une émotion qui emplit la rumeur du Monde et pénètre jusque dans les chaumières. Il s'agira par ces temps d'apocalypse d'en nommer la face, d'en traquer les symptômes : signes-témoins de ces zones de souffrance au sens psychanalytique du terme ; de désigner de l'index, ce doigt au long parcours, l'énigme de l'errance autant que la douleur de l'origine.

Contre les surenchères millénaristes et les frayeurs nucléaires qui hantent la fin du siècle, j'embrasse la Poésie et son cortège d'impuretés; si tant est que la poésie — absolu d'un langage qui ne l'est pas — demeurât à l'abri du progrès, que m'importe.

À mesure du dévoilement de l'étendue de notre dette envers la Théorie des années 60-70: marxisme, psychanalyse, structuralisme, sémiologie, minimalisme: ce panthéon de mythologies craque pour choir sous nos pas; sans préjuger leur deuil, ces idées permirent tout au moins l'imminence de sensibilités jusqu'alors inusitées; cet Olympe théorique désormais déserté, qui nous servait à la fois d'incantations magiques et de récitatifs initiatiques, hallucine notre impuissance à saisir le réel, notre névrose à en admettre le tumulte: ce pesant, cette chape.

Les utopies modernistes instillèrent dans notre vacance imaginaire que l'Art et la Littérature pouvaient changer le Politique. Profession de foi émouvante, croyance pleine de naïveté qu'aujourd'hui douloureusement nous récusons. À la grande illusion des années passées, il n'y a plus rien à opposer qu'un semblant d'éthique pompeusement qualifié de *Droits de l'homme*: simulacre amnésique, opium de la conscience, baume sur la mémoire. Mon aversion naturelle pour cet idéalisme navrant s'affermit de ce que la poésie peut encore résister.

Devant un enfant affamé et un militant qu'on mutile, elle affranchira ma conscience de l'entaille; à condition de feindre la surdité, de fuir les cris et déchirures que la racaille assassine arrache aux déjetés afin que cette clameur obscène puisse opérer dans la poésie un retour plus dépouillé, plus pur, plus insoutenable encore…

Cette surinflation du Politique fut à l'heure où tout était politique le symptôme exquis de la modernité, maladie infantile du libéralisme. Bourgeon vénéneux, l'excroissance politique induira chez des écrivains majeurs de ce siècle, nostalgiques de la perfection accomplie, de l'univocité du langage, de la transparence du sens, une monstrueuse clôture de l'Autre. Il n'est donc pas indifférent de questionner ces fantasmes de l'Origine, muraille hallucinatoire de l'exclusion, ultime forclusion de l'Autre.

Qu'est-ce donc ce remugle qui grouille et surgit d'entre les lignes ? L'inventaire en sera forcément incomplet : l'antisémitisme de Pound et Céline, l'apologie du fascisme chez Genest, le racisme négrophobe de Borges, sans oublier la dérive mussolinienne de Marinetti, et l'errement vichyste de Drieu. Ce qui excède ces œuvres conduit à une nécessaire interrogation : comment des écrivains ont-ils pu, du même élan d'écriture, produire des pages aussi hardies et proposer en sous-œuvre des négations aussi mortifères ? Autrement énoncé : faut-il être absolument moderne ?

Dans ce monde instable, morcelé, tourbillonnaire, île errante que quelque feu incertain emporte, la poésie dans sa nudité inscrira l'extériorité de l'Autre. Face à l'affaiblissement d'une vision unique et centralisatrice, elle renouvellera le procès esthétique, redonnant aux signes de la tribu leur dignité formelle d'écriture : aux graffiti sur les murs correspondront les graphies de la page. Loin de se réfugier dans le mutisme, elle s'exposera aux territoires du silence, cette grande peur. La poésie nommera la violence comme la jubilation de vivre ici en venant d'ailleurs ; elle sapera l'opulence d'une pensée qui prétendait tout embraser, tout conquérir, tout maîtriser d'un point de vue unique.

Séductrice, la page reflétera des images infiniment déployées à piéger le lecteur, elle sera la membrane perméable entre passé et futur, l'interface télématique où affleurent toutes les formes de jeu et d'enchantement, de magie et de supercherie, de vrai et de faux : véritable respiration du langage.

La page portera des langues étrangères. Elle accueillera des sonorités diverses, pulsations périphériques, et rythmes vitaux de l'oralité. Parsemée de trappes, d'oasis dérobant des sables mouvants, elle campera des colonnes doriques et des poteaux-mitan, signes iconiques sur le désert de la surface.

Elle sera polysémique ou ne pas.

Quant au poète, ici dans la ville, il se souviendra que l'enfance est un vaste écran ou jouent, ombres chinoises de la réminiscence, des figurines plus fausses que vraies. Toute reconstitution du passé personnel désormais improbable, le poète se méfiera d'une archéologie mythomane faite de doubles et de simulacres. Rien qu'un poète de plus, il se contentera de trouver sa voix dans ce grand bruit anonyme du monde, cette pétrifiante vibration primitive qui le porte tel Géricault accroché à son radeau. Du monde, il sera le castrat, la doublure intime et c'est dans cet écart entre le murmure imperceptible des lèvres et la vérité de la voix qu'il puisera la force de purifier la parole. Enfin, il résistera à tout retour au Maître, lequel mallarméen, fut à son époque, dandy passionné de mode, tendu érotiquement vers l'avenir; la distance au Maître ainsi que la non-consommation de son œuvre s'en trouveraient aggravées, surtout à reconnaître l'allégorie de sa mort: le prince des poètes fut retrouvé, une nuit, étouffé, un mot entravé dans la gorge.

Contrairement aux prétentions de ceux qui sont en proie au prurit d'écrire, le poète serait malhonnête de prétendre ajouter quoi que ce soit de transcendant au prodigieux dépôt scriptural accumulé depuis Virgile, François Villon, les Élégies hugoliennes, l'illumination de Rimbaud, l'heureuse malédiction de Baudelaire, le souffle coupé de Mallarmé, l'ampleur de Saint-John Perse, les certitudes de Char, les tautologies de Ponge, le séisme de Césaire, la mutité de Saint-Aude: c'est assez.

Désormais, chaque mot est un sédiment d'images, chaque image grosse d'un surplus de citations. Le monde est si plein qu'on y étouffe. Le créateur comme le lecteur s'enferre dans les rets de cette dyade délétère: la reconnaissance de l'un exigera à terme la disparition de l'autre. Il suffira au poète de puiser dans ce réservoir encyclopédique qui se prête à toutes sortes de détournements, de falsifications, de retournements.

De la sorte, son esprit sera hanté davantage par ce sentiment d'absence et de déréalité naguère annoncé par Rimbaud. Il se gardera cependant de banaliser sa poésie, plutôt il érigera pour chaque poème un piédestal, si ce n'est un autel pour une icône laïque.

Malgré le côté dérisoire de cet emportement soudain, sous forme d'envoi de lumière, d'élan de conscience, je prie que l'art dans la poésie est la dernière chance d'humanisation de notre époque, que l'aspiration au sublime est une impérieuse nécessité dans cette société affairée et affairiste.

Entre le vers célèbre de Baudelaire : « Là, tout n'est qu'ordre, beauté, luxe, calme et volupté » et le désespoir métaphysique de Mallarmé : « Bloc, ici-bas, chu d'un désastre obscur », je pressens que choisir ne pas. Plutôt tout panacher dans un frôlement diffus, une graphie désespérée, parodique et futile, une entreprise périlleuse aux lignages du corps et de la culture : une danse d'ex-île au bord des larmes. La joie !

8

L'archipel des écrivains

De la péninsule du Yucatán au delta de l'Orénoque, la Caraïbe décline ses îles du devant; terres émergées des plus grandes — Cuba, Haïti — aux plus petites comme émiettées — Sainte-Lucie, la Grenade — fragments d'orbes qui dessinent un horizon d'enfance: *jardins de sargasses, cyclones désirés.* Iliade américaine, chaos d'îles, elles épousent l'ordre géologique d'un arc de cercle pourtant discontinu, azuré par le désordre des peuples et des cultures, tutoyé par cinq langues coloniales, une langue créole — créole veut dire: nouvellement créé (1604) — et aussi par la nostalgie de la langue des Taïnos, aujourd'hui disparue.

Quand bien même la promiscuité des musiques, des odeurs, des déhanchements enivre et enchante, l'unité de la Caraïbe apparaît comme une charnelle ironie; la métaphore de ce que nous savions déjà.

Les îles n'existent pas

Terres ceintes. Beaux mensonges à la surface de la mer. Corps instable entre liquide, solide et gazeux, l'île est un mot qui hésite, un mot qui flotte dans la lumière, une transparence, une résonance de l'air. Plutôt une parole-lumière. Ou encore: l'île sur laquelle le mot sur lequel naufrage mon amour. Une ombre mélancolique sur le bleu partout et au dedans. Un mot qui peut sombrer.

Mais nous voici, hommes-îles, hommes-papillons. Legba ou Hermès, gardiens des seuils et des carrefours. Messagers du message. Le moindre bruissement de nos ailes ici provoque des cyclones dans le là-bas. C'est ce chaos, cette infinie spirale, ce déracinement, dans l'ordre caché du désordre et de la chance que nous plantons au cœur des cités, en souvenir de Marie-Joseph Angélique (1734), la muse incendiaire, mère des anges et des poètes. Quels œillets lui dédier dans son paradis de braises ?

Sans doute, comme elle, nous brûlons. Aux prises avec l'Histoire qui, depuis la Plantation, nous angoisse et souvent nous répugne.

Ce en quoi nous sommes écrivains

Comme le mot île, notre identité est instable, précaire cependant intense d'une conscience du lieu, du paysage, des odeurs, une façon non réductible de sentir et d'exister. En partage, les écrivains n'offrent qu'une histoire personnelle au lecteur, dévoreur d'autrui, un entêtement à être là pour dire la mémoire et la mort.

Aux écrivains, saints de la littérature, écrivant dans l'ignorance de ce qui les nargue, de l'Amérique qui est l'Afrique promise, de l'absence du père, des langues maternelles abusives, de la nostalgie toujours utérine, de la ténuité du souvenir, de l'étrangeté en toute langue, de la langue comme cri de détresse, des Caraïbes mangeurs de langue : aussi leur est-il demandé de ne pas mourir. Quant au lecteur, austère et vigilant, celui par qui advient le miracle, par l'usage du toucher et la vertu du regard, qu'ici lui soit adressée une prière de lire : c'est-à-dire vivifier en le réécrivant un empilement de feuilles sèches : le livre (!)

La mémoire de la peau

Pour féconde que puisse être notre lecture de ce système chaotique de mythes, de légendes, de chants qui flottent au-dessus de la Caraïbe, notre interprétation souffrira d'incomplétude si elle ne se borne qu'à un canon ou ne sollicite qu'un seul code à la recherche d'une origine culturelle stable. Ainsi, le livre des îles s'offre à notre regard et il faut y plonger pour découvrir ces lieux tangibles en leur vertu histrionique au dédoublement.

Lors même que l'incessante transformation de ces discours de la *differrance* — réplique de la dynamique des signifiants — serait quelquefois menacée par son entropie insulaire : clôture ou naufrage, la migration des signes culturels, leur flux et reflux au-delà de l'archipel, nous rassurent que nos voix résonnent, en performance supersyncrétique, jusque dans les confins.

Quiconque s'autorise de la Désirade, des Saintes, des Cayes-à-l'Eau, après qu'il eut recherché, en vain, les origines de sa culture, se retrouvera sur une plage désertée, nu et seul, sortant de l'eau tremblotant et naufragé — sans passeport ni papiers d'identité — autre que la mémoire turbulente inscrite dans les cicatrices, les tatouages et la couleur de sa peau.

Quiconque s'étrange des îles est en exil de ses propres mythes, de son histoire personnelle, de sa culture, et surtout de soi, maintenant et toujours, dans le monde.

9 Terres étrangères

L'homme qui trouve son pays doux est à peine un débutant; l'homme pour lequel tout pays est comme sien est déjà fort; mais seulement l'homme pour lequel le monde est un pays étranger est parfait.
— Hughes de St. Victor (XIIe siècle)

LE VÉRITABLE LIEU DE NAISSANCE est celui où l'on a porté, pour la première fois, un regard d'étranger sur soi-même: mes premières patries ont été des terres étrangères. J'ai aimé ces rapports étrangement élusifs, étrangement intimes qui existent entre un homme et des terres chaudes dont il est dépossédé pour miser ses efforts sur des terres promises, désormais objet de son désir.

Que l'art contemporain n'ait point d'autre destinataire que cet être, tel un héros tragique condamné à perdre la mémoire et à s'exiler de la langue maternelle pour s'inscrire dans une vision plus discontinue, voilà ce que le brouillage des différences culturelles autant que leur confrontation annonce au tournant du millénaire. Qui est cet Autre que je ne suis pas?

Dans les mégalopoles urbaines, nul n'est sûr de son identité. Les frontières identitaires deviennent obsolètes, voire invérifiables. L'œuvre d'art, en tant que figure de l'exil moderne, témoigne du rôle joué par la migration et l'éducation multiculturelle dans le labeur intérieur des créateurs qui vivent la double extériorité: la nostalgie du pays perdu ne s'accompagne pas tout à fait de l'acquisition d'un autre. Ruse de la création qui malmène et enjambe les clôtures et permet de garder la foi contre le travail incessant de la mort.

Pour autant que le thème de l'altérité nous confronte aux problèmes de l'identité et de la différence, chaque grand artiste, Samuel Beckett et Elias Canetti, Céline ou Kafka, Sigmund Freud et Stravinsky, Frida Kahlo et Georgia O'Keeffe, James Baldwin ou John Coltrane, murmure sur fond d'insurrection contre l'Un et les figures du même, le chant hybride de la création. Chaque artiste interroge son enracinement dans ce non-lieu identitaire, dans cette absence, cette facture souveraine et immatérielle où il ne trouve aucun motif pour créer, sinon les traces de la parole d'un autre. Je n'aime d'œuvres, parmi les œuvres, que celles qui croient en cette parole.

Alors que les crispations identitaires s'amplifient dans le monde, la question n'est pas vaine de savoir comment poser et construire la présence de l'autre dans l'œuvre ; comment affronter avec beaucoup de compréhension la différence des autres : sexualité, races, marginalité...

Hélas ! *Je* n'est pas un autre. Une mêmeté végétale me colle à la peau. Car avec le nom que je porte, je n'ai de compte à rendre qu'aux fleurs. Un extrême bonheur respire dans mon nom, un frisson qui signe ma rupture avec l'humanité entière.

Quand je rencontre dans les landes des rosiers arborant leurs fleurs sauvages, j'éprouve à leur égard une sympathie profonde. Je les considère, gravement, avec tendresse. Mon trouble semble commandé par toute la nature. Je suis seul en face d'eux. Je sens en moi la révérence qu'ils inspirent ; je ne suis pas sûr d'être le roi des rosiers. Ils me rendent au passage un hommage, s'inclinent sans s'incliner, m'entourent de leurs fragrances dont la suavité restait jusqu'au soir dans la peau. Ils savent me reconnaître.

Ils savent que je suis leur représentant vivant, mobile, agile, vainqueur du vent, je reste là à attendre, en priant, en les étreignant des doigts. Nous ressentons eux et moi une immense peine, une sorte de jalousie... désirant ardemment glisser l'un dans la peau de l'autre. Les rosiers sont mon emblème naturel. Ils portent mes fleurs prophétiques. J'ai des racines par eux dans le sol des terres étrangères. Et c'est bien parce qu'ils appartiennent à un autre règne que j'ai toujours envie d'ouvrir les bras et d'éclater en sanglots.

La vérité de ce corps botanique m'épuise... Si le nom est un état de conscience ouvert sur l'imaginaire, que cache mon nom? S'il est même « tout ce que nous possédons, c'est un élément de notre âme », à quelles conditions s'exerce le droit de propriété tel que mis en évidence dans l'expression « nom propre ». Le palindrome *mon* dissimulé dans le pronom possessif suscite, au-delà du jeu de miroir avec les mots, un effet de fascination proche du mystère; — quelque chose qui ressemblerait au simulacre de toute identité. Ainsi se déroule peut-être le rapport que chacun entretient avec l'autre en soi-même.

Mon/nom: — signes inversés de la possession et de l'identité pour nous dire que le nom, non seulement signifie quelque chose mais nous convoque: « Je m'appelle... » dit assez génialement la langue française. Le nom n'est pas rien. Il nous désigne d'une manière qui n'est pas neutre. Plus encore que la langue maternelle, les patronymes s'imposent à nous. Moralement, la vérité de mon corps botanique m'épuise... et m'enchante...

10

Le crime des crimes : littérature et politique

Ris donc Voltaire, ris donc. Que ton hideux rire se répande sur tes os décharnés. Tes larges mains ont sapé l'édifice qui tombe maintenant sur nous.
— Alfred de Musset

L'ESPACE PUBLIC EST EN GUERRE. À peine l'euphorie de la restauration de la démocratie apaisée que certains esprits, renouant avec la violence, s'enflamment ; nostalgiques sans doute du sang qui n'aurait pas coulé. Faut-il s'étonner après ces trente années misérables qui ont vu l'hypocrisie morale et le cynisme régner en maîtres ? Faut-il s'effrayer si des serpents hantent le mur imaginaire du millénaire ? En cette fin de siècle, l'on entend des appels au meurtre d'écrivains, des condamnations sans rémission à la peine capitale pour crime de « décadence littéraire ».

Poètes, vos papiers !

Au moment où les écrivains algériens Abdelkader Alloula et Tahar Djaout sont assassinés, où Taslima Nasreen pourchassée par le fanatisme religieux se réfugie à l'étranger, où Wole Soyinka (prix Nobel) est menacé par les potentats nigérians, « la peine capitale » en littérature n'est pas une clause de style... et bien sûr « n'a pas encore été abolie » dans le pays de Jacques Stephen Alexis[1].

Muni d'une triple caution esthétique (peinture), sociale (développement communautaire) et politique (l'engagement),

« l'ami » du Prince monte à l'assaut, exclut, et condamne. Seule manque douloureusement l'éthique, c'est-à-dire la rigueur et un patient labeur d'analyse. Le Prince, homme de langage, qui à ses heures ne dédaigne pas filer la métaphore, saura se désencombrer de si terribles amitiés. Puisse-t-il méditer la sagesse de l'empereur chinois Yong-Le de la dynastie Ming : il chassait les thuriféraires ; il aimait la poésie ; aussi s'entourait-il de poètes. En ce moment même, sous diverses latitudes, l'on mitraille, l'on décapite hommes et femmes qui commettent l'infamie de lire des œuvres décadentes. En vérité, le meurtre de poète est le crime des crimes.

Fin des idéologies ?

Citant Voltaire en exergue, philosophe des Lumières certes, mais également esclavagiste et négrier, le commissaire idéologique s'est investi de la figure de l'Un, de la toute-puissance maximaliste, fusionnelle et globalisante pour amalgamer, exclure et condamner œuvres passées sous silence et personnes, dans leur irréductible singularité ; les unes vouées à la déchéance des soldes dans de miteux palais du Livre, les autres à la peine suprême.

Avec une méchanceté obstinée et radicale, l'idéologue a lancé sa *fatwa* (décret). Qu'on ne se trompe point. Pour symbolique qu'elle prétende être, elle ne s'autorise pas moins de la fascination pour la mort ; elle ne s'alimente pas moins au travail incessant de la mort. La fascination mérite quelque méditation. Le mot grec de *phallos* se dit en latin le *fascinus*… mot difficile qui donne naissance au mot fascisme c'est-à-dire à l'idéologie.

L'idéologie est *fascinus*, l'objet fétiche qui sature l'angoisse, rend aveugle par une obturation quasi hallucinée au cours de laquelle voir devient un aveuglement. L'idéologie a réduit les cris de la poésie à sa plus courte réverbération. Les sociétés et le langage ne cessent de se protéger devant ce débordement qui les menace. L'Art a le pouvoir et le courage de briser le fétiche.

Quiconque eût cru en cette fin de siècle postmoderne à la fin des idéologies se sera lourdement trompé. Les idéologies sont bien vivantes. Plus ou moins hystériques. Toujours aussi visibles et aussi brutales. Ce en quoi elles sont la suite logique des approximations d'asservissement du XXe siècle : le fascisme, le nazisme, le duvaliérisme. L'abjection se révèle ainsi dans toute sa violente laideur par la négation biologique de l'écrivain. L'artiste est bien désormais la figure de la haine générale de l'art.

« L'engagement » des années révolutionnaires voulait en arriver là. L'inanité théorique (subjectiviste et anthropologique) des « idéologues » a toujours été la préparation avidement nihiliste des désirs de la Tyrannie. L'indigence du discours sur soi — le subjectivisme — avec ses béances irrésolues, ses angoisses de castration toujours menaçantes, constitue le plus fieffé ferment du transport des conflits intrapsychiques personnels dans le corps social, devenu dès lors le lieu imaginaire de leur résolution. Nous le savons hélas ! depuis Robespierre.

Rien d'étonnant, alors, que cette forme de « terrorisme intellectuel » qui cherche à provoquer une désertification du paysage intellectuel haïtien — comme dans les mornes — ait des accointances avec la haine. La haine poussée à bout comme le plus haut vecteur de vérité qui soit.

Oui, l'idéologie définit, divise, clive notre espace mental dans un brutal réductionnisme, concentrant la complexité des systèmes et des enjeux en un intégrisme binaire où s'opposent : soi/l'autre, vice/vertu, homme/femme, Hiv positif/Hiv négatif, drogués/non drogués, sexe/mort, politique/privé, nègre/mulâtre, art/non art, médecin/malade, science/charlatanisme.

Point d'amnésie. La mémoire revient. La génération rassemblée naguère autour des revues *Collectif paroles* et *Nouvelle optique*[2] portera les responsabilités de ses choix politiques et de ses amitiés douloureuses jusque dans la tombe. Son apport doit être rigoureusement critiqué. Soit. Mais non pas comme une insignifiante parenthèse dans la vie des idées. Une nouvelle génération exigeante quant aux enjeux intellectuels, sensible à la création, au fonctionnement du langage, aux mécanismes de l'écriture, aux topiques de la psyché, déracinée sans doute mais si peu désespérée, a la volonté non pas de mettre la littérature à la remorque des sciences sociales et humaines mais d'en faire une puissante machine d'intégration et de dépassement de tous les savoirs. Qu'on la laisse vivre ! douter ! trouver ! ou perdre ! hors des fantasmes de pureté.

Du bon usage de l'exergue

Quiconque cherche à y adjoindre un sens découvre que les références littéraires surdéterminent un texte, informent la valeur d'un discours. En clair, un exergue, n'est jamais innocent : il contextualise un discours et indique à quelle source s'abreuve une pensée.

À l'occasion du tricentenaire de sa naissance, convoquer le seigneur de Ferney, antisémite notoire et négrier en plus d'être pontife des Lumières, ne rachète rien. Au plus, cet accouplement proprement délirant dévoile ce que nous supputions déjà : une navrante inanité. Le Voltaire du *Dictionnaire philosophique*, le maître à penser de l'Europe a poursuivi sans relâche toute une nation de sa haine, les Juifs « peuple barbare, superstitieux, ignorant, absurde ». Le prince philosophe ne recule devant rien pour avilir le peuple juif.

Par ses attaques répétées et sa polémique massive, il ouvre la voie à l'antisémitisme moderne, celui d'une intelligentsia « progressiste » où se recruteront dès le XVIIIe siècle les théoriciens modernes du racisme et du nazisme (Gobineau). L'autre Voltaire eût été mieux venu, plus ironique, plus « voltairien », prodigieux artisan de la langue, celui qui s'exclama : « Je ne suis pas d'accord avec vos opinions mais je me battrai pour que vous puissiez les exprimer ». Voltairissime leçon de savoir-vivre !

Assez d'actes ! Encore plus de mots !

Des tâches urgentes nous attendent pour conduire ce pays à la modernité. Comment sortir de la logique de la passion pour entrer dans celle de la raison, faite de rigueur, de dur labeur d'écriture.

Faut-il rappeler Albucius, poète romain, pour qui la raison est la plus belle des émotions. Assez d'actes ! Encore plus de mots ! Telle est la tâche des écrivains à l'heure des littératures postnationales : soumettre le réel encore et encore à la question, multiplier les visions du monde, manifester un engagement politique, social et artistique dans une approche critique d'un environnement culturel de plus en plus chaotique et complexe.

Au lieu de nous complaire dans d'exécrables devoirs de violence, dans une impuissance à élaborer les pulsions destructrices, à lier les instincts aux idées, pourquoi ne nous rassemblerions-nous pas au sein de collectifs multidisciplinaires, d'architectes, d'ingénieurs, de peintres, de vidéastes, de poètes, de sculpteurs, d'informaticiens, de musiciens pour proposer une vision ironique du monde actuel. Voilà ce que réclame la culture haïtienne, celle de l'île comme celle dispersée de la migration, désormais soumise à un choc des cultures sans précédent.

Parole transgressive, la littérature est souveraine. Toute parole ne l'est-elle pas, quand elle a affaire au silence ? L'écrivain, à qui l'on demande de choisir entre l'écriture et la vie, ne doit plus redouter l'intimité avec le Mal. Le voilà désormais à la rencontre du seul langage, de cette impure vérité qui est sans doute le lieu contemporain de la littérature.

II

Mourir est beau

La pulsion de mort dans l'inconscient collectif haïtien

PARCE QU'AUSSI DÈS 1791[1], un cri avait été lancé dans un bois sombre et mythique, chaque premier de l'an ramène la commémoration de la défaite historique du colonialisme français aux mains des gueux.

Haïr la France pour l'éternité! tonnait solennellement Boisrond dans un paradigme célèbre de la terreur sacrée: « Il nous faut la peau d'un Blanc pour parchemin, son crâne pour écritoire, son sang pour encre et une baïonnette pour plume. » Sans s'apercevoir malgré ces mots dantesques qu'il poursuivait aussi les idéaux égalitaires de la Révolution française. À changer « Blanc » pour « monarchiste », Danton lui-même n'aurait pas répudié une telle envolée. Haïti, pour entonner quelque fanfare ancienne, sinon déjà entendue, première république postnapoléonienne, fille aînée de la Révolution française. Aimer la France donc? Celle de 1789, de la Commune, de Mai 68. Appeler ainsi une redéfinition de nos rapports paranoïdes (idéalisation/rejet) avec l'héritage français et contrer quelque peu les arasements culturels de l'américanisation.

Car quiconque ne considère pas, une fois pour toutes, la langue française comme butin de guerre arraché de haute lutte aux colons, renonce à camper le sort de cette langue, qui n'est plus seulement celle de Rabelais et de Flaubert, mais la nôtre, à côté de la langue créole, au-delà des vaines classifications « nationale », « officielle », « maternelle », « seconde ». Autant de désertions devant l'ahurissement de dire. Dès lors cette langue violentée par des vents plusieurs, dans un foisonnement vivifiant et fécond, se métamorphose sûrement en celles de U Tamsi, Tahar Ben Jelloun, Ollivier, Schéhadé, Chamoiseau, Métellus, Charles, créateurs de graphie française, qui l'aiment, l'embellissent et fût-ce celle du colon ne désespèrent pas, en dépit de l'offense séculaire, d'en faire le truchement d'une nécessaire réappropriation sinon d'une réconciliation avec une part de nous-mêmes. Sans doute la meilleure.

Liberté ou la Mort ! clamait le chœur des damnés de l'esclavage à l'appel de Dessalines le libérateur. La première république d'anciens esclaves naissait dans le chaos et la douleur. Que de sang versé pour cette épopée de la liberté. Que de souffrances endurées dans la chair et la mémoire de ces hommes, de ces femmes, de ces enfants, nos ancêtres terrassés par une entreprise inhumaine de massacres, de supplices, de déracinement et d'avilissement. L'esclavage dont on n'a pas suffisamment pesé les séquelles et enregistré les traces sur l'autre scène : au royaume de l'inconscient collectif haïtien. Petit peuple indiscipliné, fourbe et polisson (bon et généreux condescend l'étranger) tantôt vainqueur tantôt vaincu, forgeron têtu d'une destinée exceptionnelle.

Car ce qui domine notre culture, telle une cérémonie-loi du Bois-Caïman même travestie en iconographie d'Épinal, ce sont les images du passé. Tout aussi puissamment scructurées et contraignantes que des mythes. Les images et constructions symboliques du passé se gravent dans notre sensibilité, semblables peut-être à un code génétique dont il faudra identifier les séquences, aborder les îlots d'archaïsme.

À cause d'Antigone

Cette ère nouvelle qui s'annonce se contemple dans l'imaginaire de sa propre histoire ou d'un passé emprunté à d'autres cultures notamment occidentales. Péché originel des élites haïtiennes que — battant ma coulpe jouissive — j'avoue commettre. Qu'on ne vienne pas d'ores et déjà morigéner les prétendus ravages d'un nihilisme d'emprunt, vieilles bananes usées sur lesquelles personne ne glisse plus. Occidental faut-il entendre, car occidentaux aussi sommes-nous quelque part à méditer la destinée de Défilée-la-folle, l'Antigone nationale. Si notre sensibilité n'est pas totalement hellène, les mythes grecs surtout celui d'Antigone, par leur universalité et leur permanence nous concernent certainement. Car notre histoire bégaie et revient avec une obsession presque mystérieuse à la thématique des grands tragiques grecs. Dans l'assassinat du Père fondateur Dessalines gisent l'Œdipe et son legs de culpabilité. Notre politique revient à chaque instant, en toute pompe, en toute lumière et surtout en toute impunité à ce mythe clé, bien qu'originaire d'Europe occidentale. Tel un fantôme — comment le désigner? — l'ombre archaïque et immense du Père assassiné hante à ce point nos satrapes locaux, assoiffés de commémoration, qu'invariablement ils tentent d'usurper sa dépouille en se faisant appeler « papa » et d'opérer ainsi un transfert pervers. De ce parricide procède l'infâme litanie (Lescot, Duvalier, etc.). Quant à l'Antigone, la tragédie de Sophocle incarnée à Haïti par Défilée, folle de vouloir une sépulture pour les restes de l'empereur, s'y jouent les éléments d'une jointée profonde entre la pitié et la terreur: la femme et le cadavre, son rôle dans l'ensevelissement des morts, sa résistance contre la mainmise de l'État sur les corps, ses intuitions de la transcendance. Pour avoir été insoumis à sa Loi (morale), ce manque-du-Père soulèvera pour longtemps encore quelques questions éthiques et politiques incontournables: notamment sur la résurgence du mauvais pouvoir et de son maniement par les légataires du sang.

L'interprétation des historiens surtout ceux de gauche nous convainc promptement, quoique sans élégance, que la révolte des esclaves contre l'animalité humaine de leurs conditions d'exploitation trouvèrent dans le Vaudou une idéologie dominée, aussi précaire fut-elle, ciment syncrétique, à la fois rempart culturel et tremplin politique vers la lutte et la guerre d'Indépendance. Pourtant ce savoir furtif, peu serein, ballotté entre une prédication figée du Vaudou (tam-tam, chants et danses) et une percée incandescente de vengeance, invalidant la première, glose sur la surdétermination des luttes révolutionnaires, laisse notre sensibilité insatisfaite et la séduit moins que la mythologie d'une liturgie sanglante, ordonnée par Boukman et une grande prêtresse. Métaphore cristallisée de la mort et de la renaissance, fantasme nostalgique d'un feu enfui, de nos victoires opiniâtres sur la peur, qui correspond à une nécessité morale et psychologique profonde, mettant un doigt pertinent là par où ça fuit.

Toute pensée déjà ancienne à l'énoncer et jamais neuve en son parcours, cette monstration, Bernard Labrousse dans son essai *De l'Idéologie dominée* l'avait seulement entraperçue. Son inexpérience ou ses limites l'avaient empêché de découvrir ce que la langue dans sa résonance émettait tout bas : à la vérité, cette cérémonie du Bois-Caïman se soutient essentiellement du sacré. Un sacré indépendant de toute religion, indépendant même du vaudou, plus archaïque que le vaudou et à ressentir/comprendre comme un « salut », une guérison de l'espèce, une assise et une fondation.

C'est à partir de ce dépaysement aux racines, cette détresse initiale que penser devient possible. Hors des effets de mode, de la paraphrase et du mimétisme. Dans cette marche à l'immémorial, peut-être devrions-nous écouter davantage dans la poésie, autre lieu de vérité, l'annonce faite aux hommes et révélée par Heidegger : « le sacré est l'effrayant même ». Et si le poète convoque le sacré, ce n'est point pour s'y conforter mais surtout pour l'interroger.

1791 : ou la sobre grandeur de la légende

1791 représente donc bien plus qu'un repère historique : cette date préfigure un cyclone de l'être esclave, une métamorphose du paysage à Saint-Domingue si brutale qu'elle se chargera instantanément de la sobre grandeur de la légende. Elle dévoile outre une vie cachée, des images, des sédimentations où l'intime individuel et collectif est réactualisé, se manifeste.

En cette époque déjà bien écornée de clôture et de déplacement — la clôture de l'île par la misère et le déplacement de ses élites vers l'autre rive — l'identité collective dispersée entre un ici et un ailleurs est mise à rude épreuve. Les traditions religieuses de la nation subissent un triple assaut, écartelées entre une tardive théologie de la libération, un prosélytisme américain rutilant et un recul objectif du vaudou, taré, dégradé, perverti par une utilisation mystificatrice. Son intuition d'un progrès ou d'une déroute semble être subjuguée par les échos d'un passé où prévalut sous le signe de l'oppression coloniale, une violence totalitaire : physique par asservissement et disparition, ou morale par assimilation pure et simple.

Bien qu'elle fût niée, la découverte de l'Autre provoquait aussi un trouble ouvrant sur une extériorité (le mythe du Bon Sauvage, les idéaux égalitaires de la Révolution française). Ce n'est que vers la fin du XIXe siècle que l'Europe, au lent râle rauque, achevant de s'approprier le reste du monde, commença à s'intéresser à d'autres systèmes de représentation afin de renouveler son propre univers de signes : son art (art nègre, primitivisme, japonisme), la défaillance de sa morale (hindouisme, zen, bouddhisme). Au péril de la dissolution, aucune société ne peut se passer des mythes fondateurs. L'histoire des Noirs américains le prouve assez clairement. Les échos du passé résonnent encore d'une lointaine catastrophe (l'esclavage) et des bruits d'une guerre d'Indépendance où la dialectique hégélienne du maître et de l'esclave trouvait à Haïti une formidable illustration ; à ceci près que certains esclaves occupèrent la place des maîtres, inversant sans la renverser une perverse relation qui se perpétue encore de nos jours. Hegel de nouveau convoqué aux Antilles ! encore que la réédition d'un tel exploit m'apparaisse invraisemblable.

Le passé étant à la fois trop proche pour établir un lien mythique et trop lointain pour circonscrire le traumatisme d'origine ; encore qu'on puisse y trouver un plaisir trouble et chatoyant pour une certaine sauvagerie de mœurs, une violence révolutionnaire et des émotions sanguines. Risquons-nous à braver cet interdit et à répéter ce que fit d'abord cet autre Juif de Gênes, Colomb Christophe, dont la statue fut récemment renversée et retournée à la mer : nommons nos terres ingrates au fur et à mesure de leur découverte.

Certes, la perspective qui va être abordée ici relève d'une théorie qui rend inopérant tout recouvrement de l'histoire des luttes révolutionnaires par celle de l'inconscient : — d'aucune manière cette dernière n'autorise le clivage de ces deux figures (maître/esclave) en deux entités autonomes et positives, elle permet cependant d'entreprendre une lecture originale de quelques-uns de nos totems et tabous. Condition essentielle à un élargissement pionnier de l'horizon imaginaire, à un renouvellement vigoureux de la visée culturelle, interpellés sommes-nous par ce qui touche à notre mémoire collective, soucieux de nous approprier les signes de notre modernité ; au risque de perdre au passage le charme des illusions. Mise en perspective aussi d'une certaine idéologie d'exaltation fétichiste de la « race » et de ces corollaires coloristes (mulâtrisme/noirisme) comme métaphore de la haine dissimulée dans une allégorie de la Mort, la belle Parque.

Cet inventaire sera conjuratoire et partiel car nul ne peut prétendre embrasser tous les points de vue à la fois ; c'est le privilège de la divinité, de l'artiste, ou du Prince.

Mourir est beau! Mourir est beau!
Une culture tragique

Maître et esclave: un couple infernal

La conception hégélienne du maître et de l'esclave implique une opposition absolue de ces deux consciences de soi. Tel quel ils s'apparaissent l'un à l'autre de façon immédiate. Chacune a la certitude d'elle-même mais non de l'autre; c'est pourquoi cette certitude de soi est privée de vérité. Dans la mesure où l'agir de l'esclave est déterminé par le maître, chaque conscience poursuit la mort de l'autre et ce faisant, vouloir la mort de l'autre implique qu'on risque sa propre vie.

Maître et esclave s'éprouvent eux-mêmes et l'un et l'autre par une lutte à mort, lutte qu'ils ne peuvent éviter car ils sont forcés d'élever en vérité leur certitude de soi. C'est donc seulement en risquant sa vie qu'on conquiert la liberté. Liberté ou la Mort! la devise revêt ainsi tout son sens et le détour hégélien indispensable pour la comprendre. Certes, la mort a fait naître la certitude que les deux consciences ont risqué leur vie et l'on méprisée en elles-mêmes, chacune dans l'autre. Pourrait-on avancer avec prudence que la lutte des esclaves à Saint-Domingue a pu influencer Hegel, admirateur de Napoléon. En effet, le philosophe ne pouvait pas ignorer les conflits en cours à Saint-Domingue et la tournure révolutionnaire des événements provoqués par l'envoi d'une armada esclavagiste ayant à sa tête les meilleurs généraux français (Leclerc, Rochambeau pacificateur de l'Égypte). La publication de la *Phénoménologie de l'esprit* en 1807 (seize ans après le début de la guerre d'Indépendance) serait donc dialectiquement liée à celle-ci, au moins en ce qui concerne les concepts Maître et Esclave.

Il convient maintenant de théâtraliser ces entités abstraites, de leur donner chair sans pour cela tomber dans la complaisance des accouplements délirants freudo-marxistes. Malgré son caractère mécanique c'est grâce à l'historicisme hégélien, avec sa doctrine de la victoire finale de l'esclave, que Frantz Fanon a pu forger, sous le parrainage de Sartre, ses concepts d'aliénation chez le colonisé. Le psychiatre Fanon devait entrevoir les conséquences formelles des cicatrices psychologiques sur l'imaginaire et le symbolique du colonisé (*Peau noire, masques blancs*) ; une mort prématurée associée au déclin de la psychiatrie dynamique l'empêchèrent de procéder à une lecture du texte hégélien à la lumière de l'enseignement d'Alexandre Kojève.

Hegel avait génialement découvert que le désir était bâti à partir du désir nommé par l'Autre. Kojève traduisit l'apologue de Hegel en donnant une extension extravagante au concept de désir et cette leçon sera entendue par Lacan (Roudinesco). Le désir est désir de reconnaissance, il est désir d'un autre désir. Car la lutte entre maîtres et esclaves c'est avant tout une lutte pour la reconnaissance.

La pulsion de mort dans le domaine historique

Voici venue l'heure où toute retraite est coupée par avance. Penser, la belle affaire, s'engage sur des chemins pavés de questions qui se déduisent moins par celui qui s'y efforce qu'elles ne s'autorisent d'elles-mêmes. Plus dangereuses. Plus hardies.

Lors la geste révolutionnaire le sang coule et les esclaves se révoltent pour devenir des maîtres. La liberté qu'ils réclament passe par une négativité totale : *Koupé tèt boulé kay*! coupez les têtes, brûlez les maisons! expression de la volonté de néantiser ce qui est. Dans cette dialectique de la reconnaissance, la lutte entre maîtres et esclaves s'affirme fatalement dans la fascination et le mépris de la mort. « *Grenadiers à l'assaut! Sa ki mouri zafè ayo*! *Ceux qui meurent, c'est leur affaire!* » Nul chant guerrier plus jubilatoire, plus désespéré que celui-là. Liberté ou la Mort! ce thème trouvera son prolongement dans la validité de la terreur révolutionnaire et de l'avènement ultérieur du terrorisme d'État (tontons macoutes) car il s'agit de plier ce qui est vers ce qui doit advenir. Et pour autant qu'elle met en cause l'ordre existant, cette pulsion de destruction suppose dans la saga révolutionnaire une volonté de création à partir de rien, une volonté de recommencement.

À l'horizon se profilent les mornes de Vertières. Et nous voilà face à Barrière-Bouteille. C'est le lieu d'une légende singulière, de l'à-vif de la reconnaissance et de la barrière du désir. Barrière interdisant l'accès du sujet au champ du désir. La fascination de la mort emprunte dans ce clos une figure de légende, celle de Capois dit Capois-la-Mort. À la tête de la deuxième demi-brigade, l'intrépide cavalier dépanaché deux fois par les boulets monte à l'assaut de Vertières sous les canons et la mitraille. Le général français Rochambeau, sanguinaire et farouche ennemi des Noirs, « reconnaissant » sa bravoure, fait cesser les combats et lui présente les honneurs dans un roulement de tambours, de sueur et de poussière. Puis les combats reprennent, plus acharnés. Dans une auto-divination Capois aura vaincu la peur de mourir mais aura-t-il triomphé de la vie ?

Est-ce bien cette fable que les filles et les garçons se content sur les chemins de l'école ? Est-ce bien cette légende que les manuels d'histoire imprègnent de manière indélébile sur l'imaginaire vierge des enfants ? La question a le mérite de discerner sous la splendeur du récit une autre prégnance. En se battant pour la liberté le général indigène devient, insigne blessure, captif du regard de Rochambeau qui lui dénie sa liberté mais applaudit sa danse avec la Mort. Sublime paradoxe ! où l'accule Rochambeau. Dans l'après-coup, Capois jure la perte des Français, accède à la dignité d'homme libre puisque Rochambeau reconnaît en lui un rival, plus proche de l'immortalité.

Dans un odieux engrenage comme le doigt entre les moulins de la guildive, la conscience de soi a dû passer par l'Autre pour revenir à soi sous la forme grotesque d'un tyran sanguinaire. Plus profonde sera la fissure symbolique, plus profonde que la fêlure d'une calebasse.

D'autres « histoires » gémissent au fond de la conscience tandis que la mémoire pleure des îles et des mers. Déjà lors de la Traite, les Africains se jetaient à la mer pour éviter l'esclavage, « la mer leur ouvrit là le plus beau des tombeaux ». L'épopée de l'Amistad représente le seul acte de mutinerie où les Africains s'emparèrent d'un bateau négrier et tentèrent de retourner en Guinée.

Sur l'île-plantation, à l'image du Nègre marron qui prend le maquis, Maryse Condé dans *Moi, Tituba, sorcière noire* nous tend le miroir plus douloureux par la justesse de son évocation des guerriers Ashanti, nobles dans leur pays, marrons de la vie, ils choisissent le suicide collectif au déshonneur de la mise aux fers et de l'étampe. « Mais nous gardions nos silences pour mieux revoir nos propres élans dans la mort. Sais-tu que certains à l'heure du suicide avaient les cheveux blancs ? » Quant aux femmes, pour échapper aux affres de la servitude pour elles et leur progéniture, elles ne reculent pas devant l'horreur malgré leur souffrance doublement effroyable. Écoutons Patrick Chamoiseau dans le texte sans le paraphraser : « Les femmes avaient appris à se pousser toute vie hors du ventre. Imagines-tu ce qu'il faut de désespoir et d'amour pour tuer sa chair ? » Le suicide des femmes enceintes du colon, les infanticides en série, l'usage chronique d'abortifs attisent notre mémoire qui manque défaillir... chancelle... se retient. Retenons nos larmes disait Foucault. Retenons-les car ni ceux qui nous ont vendus et encore moins ceux qui nous ont achetés ne les méritent (Phelps).

Une procession d'ancêtres terrassés

Trois personnages exemplaires dominent le panthéon national, ceux de Toussaint, de Christophe et de Dessalines. Pour héroïque que fut leur destinée, elle n'est pas dépouillée d'un certain trouble comme une espèce de disgrâce de la fatalité, une sorte de stratégie de l'échec. En effet, comment expliquer le comportement de Toussaint qui se jette dans un piège ourdi par les

Français alors que politique madré et génie militaire, il n'était point dupe de leur sinistre projet? Fatigue, lassitude, ou pulsion suicidaire à l'œuvre? Poser ces questions force à éclaircir des problèmes cruciaux.

Même confusément, la réponse n'est pas inscrite sur les moellons du triste cachot au Fort de Joux, suintant la détresse comme l'absence de détresse. Le long de cette galerie d'ancêtres comment ne pas évoquer le suicide de Christophe? Derrière l'image grandiose du visionnaire, du roi-bâtisseur que nous transmet l'histoire, victime autant des intrigues de sa cour que d'une apoplexie, persiste, douloureuse, exaspérante, toujours ressentie sa manière de partir pour l'immortalité. De tous les mourirs le suicide atteint par son scandale au défi le plus total, se rattache à la forme la plus exigeante de la protestation, nous prive à jamais du repos de la mémoire. Le roi Henri aristocrate jusque dans sa mort, emporté par l'or d'une balle, au-dessus de la poussière de nos vies. Orphelins les signes, orphelins demeurons-nous.

De l'exposé, se fait pas à pas une redéfinition tragique de la culture haïtienne. Tragique au sens antique du terme. Cette rédemption n'épargnera pas Dessalines le Grand à savoir comment nous nous sommes payés par son assassinat une formidable régression. Il est inutile sinon futile de souligner le parricide voire de l'ériger en signifiant œdipien sans soulever les dalles symboliques de la sépulture. En dépit d'une répugnance naturelle sans s'assurer que le cadavre ne grouille plus. Contrairement à nos vœux, il grouille encore: il palpite de nos propres abattements d'autant plus martelés et tordus que nous l'avons odieusement abandonné aux chiens, aux prédateurs, aux insectes de toutes sortes, au morcellement de la nuit, lui qui a couru le risque d'un lever de la négraille, qui a contribué par son cri de guerre absolu, *ex nihilo,* à sa réhabilitation. Ce en quoi il fut grand et notre chute à mesure exacte de sa grandeur. Qui doute que son souffle bruit encore? Écoutons l'hymne dessalinien de Justin Lhérisson:

Pour le pays, pour les ancêtres...
Mourir est beau ! Mourir est beau !

Si l'élan patriotique et la datation grand siècle du style revêtent la marque d'une époque, l'antinomie de ces vers lyriques dévoile plus que toute démonstration l'épreuve par la mort où se trouve aboli le lien identitaire. Qui osera parler après cela d'haïtianité ? Il n'y a pas d'identité (Jean-Claude Charles)... si ce n'est tragique.

Mû par une vague impiété, quelque peu sur une arête et surtout adossé à l'idée que la sublimation de sa mort a été empêchée, ravie, détournée, il est de notre devoir d'introduire une clarté dans sa sépulture, de voiler ses yeux, d'interrompre son cri funèbre. Manière de débusquer sous l'empire des ombres le mémorable et le mémorisé.

Le crime est donc nécessaire dans le monde (Sade). Affirmation dérisoire et sublime comme si toute l'œuvre des hommes venait échouer sur cet incontournable. Car une fois les colons boutés hors du pays l'extension à soi du cri de guerre « koupé tèt boulé kay » devenait une absurdité. Son application à la lettre enlevait à la jeune nation ses fils les plus vaillants. C'est pourtant ce qui est advenu. De quelle manière ?

Fondée d'abord sur des intuitions, la pulsion de mort proprement dite est quelque chose de très complexe pour quiconque s'en approche en essayant de comprendre la vision de Freud et la relecture de Lacan. L'articulation freudienne de cette pulsion définit la tendance générale de tous les systèmes énergétiques à un état d'équilibre. Au niveau des systèmes vivants, cette tendance irréversible vers un état d'équilibre final est appelée entropie. La pulsion de mort à égalité avec la pulsion de destruction se projette au-delà de la tendance vers l'inanimé car sinon elle sera une volonté de destruction directe. À partir de cette volonté d'anéantir ce qui est, il faut qu'elle soit sublimée dans un retournement radical en volonté de création. Autrement elle est dérisoire, funeste, méprisable.

Cette dimension pulsionnelle est introduite dans la chaîne historique — si tant est que l'histoire puisse être donnée comme mémorisable et mémorisée — à partir d'un repère, d'une pointe, d'un au-delà, d'un lieu élu, de telle sorte que tout puisse être compris, intégré, ramassé à partir d'une intuition initiale. Le lieu élu, fondateur, c'est le Bois-Caïman ; l'intuition initiale c'est l'absolu de la lutte à mort entre le maître et l'esclave. C'est dans la perspective d'un commencement absolu, l'origination lacanienne, qu'il faut comprendre la nécessité d'un point de création *ex nihilo* à partir duquel naît ce qui est historique dans la pulsion.

Au commencement était le Bois-Caïman, c'est-à-dire le Verbe, le signifiant qui permet d'articuler la pulsion comme historique. Comme la mort se dérobe dans l'énigmatique (Rilke) il y a assurément hors du monde un au-delà de l'histoire qui fonde ces cris immenses « koupé tèt boulé kay ! Liberté ou la mort ! »

Les avatars du mémorisé

Lorsque Jacques Fourcand alors ministre de François Duvalier et héraut de la « révolution duvaliériste » menace la nation haïtienne d'un « Himalaya de cadavres », cette formule par sa séduction maligne induit plus qu'une volonté de terroriser dans le but d'assumer un pouvoir entier. Elle préfigure la désintégration des normes d'une culture, la désinvolture coupable d'un intellect et d'une affectivité complètement fascinés, obnubilés par la cime purificatrice du désastre. Elle trahit aussi la crédulité d'une conscience soumise à l'idée morbide de néantisation, quelque chose comme l'écho lointain de « koupé tèt boulé kay ».

L'imagination était dès lors toute prête à se laisser engloutir par la marée de sang qui suivra. Ces pulsions anarchiques de destruction feront leur chemin dans la littérature romanesque et blesseront la poésie.

Dans l'univers de Frankétienne *cf.* chapitre 5, l'évocation de personnages coagulés dans leur impuissance, vomissant la soue de leurs entrailles, aux chairs meurtries et déchiquetées, les cadavres errants, le sado-masochisme ambiant (« moi cannibale je mange mes lèvres » : *Ultravocal*, p. 256), offrent une peinture hantée à la Jérôme Bosch, encore que désespérée, de la faillite du système de valeurs d'une société, du désarroi individuel et collectif face à des virtualités corruptrices et régressives qu'elles réprouvent mais qu'elles n'arrivent ni à comprendre encore moins à contrôler. Pareille stratégie romanesque, regardant la mort au fond des yeux, inscrit en marge de la tradition littéraire antillaise un conte morbide où le noyau de la tragédie correspond moins aux expressions locales d'une humanité contuse qu'à des bouffées délirantes en prise directe sur la langue. À ce prix, s'amenuise la frontière entre folie d'écrire et écrire la folie. Ces fantasmes de désintégration imposent également leurs vues aux jeunes écrivains de l'exil : Jean-Claude Charles y succombe dans *Sainte dérive des cochons* tout comme Jean Jonassaint dans *La Déchirure du corps et autres brèches.* Les titres mêmes des livres évoquent sans qu'il ne soit besoin d'insister cette entaille soudain ouverte qu'il s'agit d'exorciser. Dans *Textes en croix* (suivez le titre) Serge Legagneur lui aussi témoigne au nom des « malédictions rencontrées/coupées en morceaux/râpées proches/sur le parchemin habité de ronces décrépites », conteste « l'île devenue insupportable » aujourd'hui consignée avant que la « péninsule acérée passe au feu ».

Faut-il s'acharner ? Véritablement : désireux de me montrer explicite, je n'en resterai pas là. S'il est vrai que la culture haïtienne secrète en elle-même, séquelles de l'esclavage, des élans suicidaires et tels ! il importe de chercher ce en quoi la barbarie duvaliériste, phénomène majeur de notre histoire contemporaine, n'est que le microcosme tropical d'une barbarie moderne plus vaste : la guerre des étoiles, l'hiver nucléaire, la frénésie terroriste, l'apartheid, l'appauvrissement constant du

Tiers-Monde, les ravages de la peste sidéenne. Cette barbarie macoutique renvoie aux charniers d'Auschwitz : du reste Mac Abre, le personnage central d'*Ultravocal* de Frankétienne pendant la Deuxième Guerre mondiale joua un rôle de premier plan dans les chambres de tortures nazies.

Pourtant cette barbarie tire bien son origine de la culture haïtienne qu'elle a tenté d'assauter ; elle lui ressemble comme fille à mère, en dépit de sa hideur et de son abjection, elle entretient avec elle un rapport consubstantiel et a fini par creuser en sa matrice un vide idéologique. Duvalier ayant perverti la négritude en stratégie d'occultation, nous l'avons abandonnée (Depestre) sans pour autant entrer dans la modernité. De sorte que la légitime inquiétude des mânes demeure, non apaisée face à l'île errante, sa schizoïdie profonde : nègre/mulâtre, français/créole, ville/campagne, mornes/plaines, vaudou/catholique, zombi/chrétien vivant. Vaudou !? Zombi !? Ô joie, enfin, nous y voilà !

Péril en la théorie : vaudou et pulsion de mort

La danse des ténèbres, la danse avec la mort postule, nous l'avons vu, un rejet absolu du monde colonial comme lieu des pouvoirs, des désirs et de la violence esclavagiste. En état de double résistance, à la tradition africaine comme à l'occidentalisation, le corps tantôt disjoint tantôt remembré des dieux (lois), et des fidèles, multiplie les signes de son refus et de son anéantissement. Nu, couvert de sueur, de sang, en transes, souvent féminisé (la féminité étant l'informe, l'intimité avec le nocturne), érotisé dans une cavalcade divine, il évoque un en deçà du signifiant, un au-delà de la chaîne signifiante, des zones à vif de douleur où les formes de révolte ne pouvaient s'actualiser qu'en leur propre néantisation.

Les empoisonnements en série, les suicides collectifs, les avortements, les infanticides partagent le même lit que les états catatoniques de la possession vaudouesque ou leurs avatars profanes: les zombis. Au-delà du pathos spectaculaire de la cérémonie-loi s'alimentant à des stéréotypes (feu, prêtres, prêtresses, animaux sacrificiels, tam-tam) il est grand temps d'interroger la grande complaisance et le rapport de fascination qui pèsent de manière si indiscrète sur notre approche du Bois-Caïman, partant du vaudou. Kolakowski au chapitre « Les intellectuels contre l'intellect » de son ouvrage *L'Esprit révolutionnaire* a le mieux pourfendu cet égarement des intellectuels qui les porte à « se persuader que la solidarité avec les classes opprimées exige qu'ils admirent et non qu'ils combattent ce qui a toujours été la plus grande infortune de ces classes, leur incapacité à participer à la culture spirituelle ». Incapacité à sublimer la formidable énergie née de l'implosion des dieux et des hommes, à la diffuser dans la cité. À revisiter l'émouvant surgissement de ces signes baroques, leur irruption ravive dans la mémoire un continent oublié de sensations et de codes; par quoi notre « identité nationale » s'éprouve ou plus précisément notre sentiment d'altérité se mesure... frémit devant des personnages d'un tragique très contenu, très las: les zombis. Auxquels est liée la terreur de voir ressurgir une chape trentenaire qui a failli subsumer tout un peuple en un monôme de zombis. À livre ouvert ou yeux fermés, la zombification est la mutilation la plus atroce que puisse subir un être humain: haine, vengeance personnelle, main-d'œuvre gratuite, captation d'héritage, survivance du mackandalisme, toutes ces réductions sociologiques, criminologiques, pharmacologiques me laissent songeur. N'éclairent rien. Ne disent rien de ce qui se donne à penser dans ces basses œuvres, véritable crime contre l'humanité. Sinon que l'introjection de la pulsion de mort, expression exacerbée de la haine archaïque de soi, symbolisée par le mauvais objet traité, esclavagisé, à expulser, à punir: l'autre soi-même à zombifier, à renvoyer au moment périssable de l'animalité esclavagiste.

Willy Apollon a opéré un sérieux travail d'écriture dans son ouvrage *Le Vaudou.* Désormais, grâce à lui, il sera possible de se mettre à l'écoute de la violence du cri, de la voix du corps dans son « halètement pulsionnel ».

Sa théorisation se meut, tout en marquant ses distances par rapport à la vulgate freudo-marxiste, dans l'axe d'une bi-polarité entre psychanalyse et ethnologie — position périlleuse, il s'en faut, encore que l'écriture ethnologique dans ses fondements pût être parfois ce « masque blanc » sur des peaux noires. Or, il ne s'agit plus d'utiliser ces formes traditionnelles de l'expérience religieuse comme témoins d'ethnicité ouvrant le passage jusqu'au « noir soleil des "voix" vaudou », ni même de les manœuvrer comme garantes d'identité auxquelles l'haïtianité donnerait corps, et pour finir encore moins comme lieu de savoir.

La métaphore baudelairienne du soleil noir reprise par Apollon correspond à un prodige cosmique vérifié par l'astronomie. En effet il s'agit de la merveilleuse illustration du théorème de Penrose. Aux limites extrêmes de la gravité la masse critique atteinte par un astre interdit toute communication avec le monde extérieur. La lumière ne peut échapper à la force du champ d'attration et il se crée un trou noir, un effondrement, un soleil noir. Poésie, effet de la science. Science, « poésie des faits ».

L'ironie veut qu'exposant cette métaphore sur la quatrième de couverture de l'ouvrage — je veux bien dire métaphore recouvrant le texte — le psychanalyste avoue là une résistance, un nœud de la fiction théorique et étale dans toute sa splendeur le noyau de vérité : le vaudou, soleil noir. La « couverture » aura eu un accroc là par où le mage est mis à nu.

Car enfin m'apparaît-il, toute la force révolutionnaire du vaudou « machine de guerre » a été exprimée dans une formidable implosion lors de la catharsis de la guerre d'Indépendance où les héros accédèrent à l'immortalité. Le vaudou dorénavant astre mort, trou noir, n'a pu ultérieurement que servir de péristyle à une répétition mi-théâtralisée mi-subordonnée à la répartition des dividendes sociaux d'un passé irrémédiablement perdu. Dès lors il pouvait être récupéré pour fins d'évasion à domicile (Katmandou sous les Tropiques) par une frange d'intellectuels vaudouisants apeurés par le sacré, réfugiés dans les bras d'Erzulie la belle mulâtresse, se leurrant sur son vertige. Trente ans de barbarie macoute ont prouvé jusqu'à la nausée la manipulation du pulsionnel vaudou (admirablement décrit par Apollon) à des fins de maîtrise et la complicité honnie de la haute hiérarchie houngan avec la classe politique dans le détournement vers le mirage de l'angoisse collective, encore qu'il ne faille pas jeter le bébé avec l'eau du bain.

Ce qui est vrai des héros ne l'est pas des hommes. L'âme haïtienne, conséquence culturelle de la pénurie et du manque-à-être, recherche une apparition concrète de l'invisible, une épiphanie du divin. L'Haïtien est attisé par une théologie du provisoire, comme l'éclair est dans l'instant, une incarnation de l'esprit : dieux, héros démiurges, esprit des morts. L'univers est constamment sanctifié par une infinité d'épiphanies ostentatoires. Dans leur ardeur, les dieux ne trouvent pas de repos dans un paradis. La *loi* (esprit vaudou) descend n'importe où n'importe quand toujours sur la béance, la fêlure, la demande incessante du fidèle à la colmater. Tyrannisé par sa monture (le vaudouisant), il ne demeure pas en paix et n'est jamais pris dans une temporalité car il doit être à la fois dieu, c'est-à-dire hors de l'entendement d'homme et cavalier d'homme dans une proximité funeste. Cette extraordinaire grâce que le fidèle peut acquérir ne vaut que pour un instant et le désir toujours inassouvi relance son manège circulaire… Ce n'est donc pas le fidèle qui est possédé par la *loi*. À dire vrai ce peut être la *loi* qui devient la chose du fidèle, sa possession, sa créance : par où se pulvérisent lors de la crise de possession (qui possède qui ?) une croyance religieuse, un matériel délirant et l'ingratitude de l'éphémère *vèvè* (glyphe sacré dessiné au cours de la cérémonie).

Les lois, puissances surnaturelles, pénétrant le corps des fidèles, opèrent un remaniement de la scène intérieure ; en même temps l'élan de désir, la fureur de vivre, la terreur de mourir sont brutalement localisés dans le corps, liés à ce corps qu'ils investissent, mais en tant que puissances les lois débordent et dépassent toute enveloppe charnelle singulière : elles peuvent la déserter comme elles l'ont envahie sur demande. Ce corps perméable à l'agir des forces et accessible à leur intrusion constitue la demeure des dieux. C'est dans cette combinaison tyrannique où s'établit l'union des corps des dieux et des fidèles que la dimension sacrée de cette union s'élève. Pour tout dire de l'économie libidinale, cette réunion qui n'est pas l'extase mystique obtiendra une plus-value lorsque le fidèle, troquant la vêture du dieu, goûte un apaisement temporaire en échange d'une tempête pulsionnelle.

Pour comprendre le charme pervers de cette relation, de ce qui oppose la *loi* au fidèle comme de ce qui l'unit, il faut avoir subi le charme un peu vénéneux du *vèvè* dont l'effet sur autrui n'est pas indifférent de celui qu'exercent d'eux-mêmes les périls du corps féminin. Exténué, hagard, à la limite extrême de la demande du fidèle, la *loi* va connaître un état de quasi mortelle et son propre apaisement.

Au moment où la distance infinie entre divin et humain se délite, entre les deux, lors d'une théologie défunte, le temps de la crise de possession, s'est jouée une tragédie.

Interpréter l'interprétation

« Nous ne sommes que les interprètes des interprétations », suggérait sereinement Montaigne. Au degré où se hausse la glose, par quel accident une théorie analytique peut-elle arriver à interpréter le vaudou soit comme machine de guerre soit comme machine folle, à l'instar du discours de Willy Apollon ?

Pourquoi nous enjoint-elle à considérer impossible l'articulation du pulsionnel et de l'historique ? Surtout et enfin est-ce le granitique orgueil du psychanalyste (celui qui est supposé savoir) qui le conduit à anesthésier, à cloîtrer la pulsion de mort dans les bandes rara et les sociétés secrètes, alors que nous l'avons retrouvée, errant sans trêve, au fond des cales des négriers jusque dans l'hymne national ? Non, nous n'irons pas danser « la valse incontrôlable des pulsions ».

L'enjeu ici s'appelle vérité de l'interprétation et relève du désir de l'analyste rejoignant ainsi un fantasme secret sans en avoir le monopole. Amenons la nôtre qui ne se laisse pas réduire à un jeu avec les mots. Une fois de plus, la plus brillante interprétation ne délivre qu'une part de vérité quand bien même la métaphore s'écrie : « Mourir est beau ! »

12

Science du poème

Sur le seuil aride du poème aux clairières en feu de la mathématique.
— Saint-John Perse, *Amers*

QUE CE VŒU D'ARIDITÉ DU POÈME abandonne l'ordre charnel pour se transformer en pure rigueur, il deviendra, dans cette zone de rêverie à la fois morale et formelle, cet étrange songe si persien de la mathématique. Il tentera de définir pour nous l'utopie du poème délivré de la prière, de la tyrannie des vents, des neiges et des pluies pour s'accorder aux choses de l'esprit, feu abstrait, jeu dénudé comme un éclat d'os, là où, dit Perse, doit régner la parole brève du poème.

À supposer qu'elle dissimule un mystère, l'expression *science du poème* ne peut se défaire d'une opposition intime, mise en abîme stylistique, oxymoron impudique qui nous remue de joie. Quelle image eût pu être plus émouvante que l'allégorie à demi inédite qui détaille cette rencontre ? Peut-être est-ce le fruit étrange de l'union entre science et poésie, entre un faune et la lune ? Cette épiphanie dont je me hasarde à être le sacerdote nous interpelle en tant que vérité : vérité momentanée de deux intuitions, celle de trouver la source-image d'un langage capable d'exprimer la complexité de l'univers, d'en alimenter toutes les représentations. La poésie serait-elle victime d'une agression chaque fois que la science s'en empare ?

La science ou le logos : pose ses hypothèses, définit sa méthode expérimentale, anticipe ses résultats : — pour mieux invigorer un univers infiniment plural dont la superbe ne cache pas moins une avidité de sens. La science est la poésie des faits. Elle est la saillie du désir de maîtrise ; ou encore la cime dépravée où l'homme se repaît de la prédation du monde.

Quand bien même les scientifiques reconnaissent désormais la part de l'imaginaire dans leurs intuitions, la science s'est imposée face aux autres formes de la connaissance : la précision des résultats, la reproductibilité de l'expérimentation ont assuré son hégémonie.

La poésie ou le silence : c'est-à-dire la connaissance qui est douleur et subversion, l'abîme qui s'ouvre sous le logos, sous chacune de ses prétentions. La poésie seule est capable de faire osciller le logos jusqu'au sublime. La poésie postule le rien. Elle impose le langage des métaphores, c'est-à-dire la sidération d'un objet de langage par un autre objet, faisant pivoter les deux faces de la beauté, l'une de volupté, l'autre de dégoût ; selon le creusement d'une image par une autre image, sans fin, selon le retournement de l'une sur l'autre, jeu de miroirs, « immenses glaces éblouies par tout ce qu'elles reflétaient » ainsi que le poétise Baudelaire, au bord de la suffocation.

Il ne saurait y avoir l'Intelligence des êtres et des choses sans la plénitude de la forme censée l'exprimer. Pourtant le langage nous sépare à jamais du monde. La poésie est la modestie du langage, épuisée de mélancolie dans sa douleur de veuve, de n'être qu'un substitut de la chose. Écrire ? que l'ombre de l'objet sur elle tombée. Devant la foule étêtée, l'écrivain habite le sanctuaire de l'absence ; il est le Balthazar abyssin qui suit l'étoile absente du langage. L'écrivain habite cette mélancolie.

La mélancolie du savoir

À l'ombre de cette ascèse, j'ai tenté de définir une stratégie littéraire qui s'autorise de la mélancolie du savoir, fantasme originaire d'une unité du savoir dont la perte nous recouvre d'un sentiment endeuillé et irrémédiable, matrice culturelle commune à la science et à la littérature. Persuadé que la littérature doit être concernée par autre chose que la textualité, surtout si elle s'engage dans des questions éthiques, dont, non la moindre, consiste à interroger l'activité artistique elle-même. Laquelle semble soumise à la condition inéluctable d'exposer dans un lieu public ; ici, ou encore dans un objet public ; un livre, ce qui appartient initialement à la sphère du privé.

Longtemps, j'ai voulu donner un titre technique à mes recueils de poèmes, Opérations I, II, III en hommage à la grande leçon de gestes qu'est la chirurgie générale. Cette spécialité, qu'on n'exerce que masqué contre la souffrance, m'a offert un empire de métaphores associant le sang, la chair, la maladie à des rituels anciens de sacrifice et de purification quand ce ne furent l'eau, la table, les fluides biologiques plus ou moins délétères. Le risque de contamination par le virus du sida ne vient aujourd'hui qu'exacerber une hantise déjà ancienne. La victime (le malade), les yeux comme des boules sanglantes, peut entraîner dans la cire son bourreau (le chirurgien).

La chirurgie, selon Baudelaire, est une métaphore de l'acte d'écrire. Opérer et écrire : deux métamorphoses d'une gestuelle dont la beauté suprême est dans le retournement. Le geste peut, à tout moment, être retourné contre soi. « Vous devenez chirurgien, m'a confié mon maître, le jour où vous pouvez, en toute confiance, vous opérer vous-même. » On peut mesurer ainsi l'intensité de la transgression qu'opérer implique.

L'angoisse du chirurgien, au moment de la saillie du bistouri, emplit alors le théâtre des opérations. Dans cette perspective, écrire devient une opération de langage réellement subie autant qu'infligée. Le corps de l'œuvre (*le corpus)* n'est-il pas le corps même de l'écrivain ? La médecine, plus particulièrement la chirurgie, ramène le corps, longtemps mis entre parenthèses, dans le champ de la littérature. L'imaginaire de la chirurgie n'est-il pas fondé sur la perfection de l'anatomie, cette géographie rigoureuse de la douleur et du plaisir ? Toujours à la limite du carnage, la chirurgie introduit dans la littérature le primat du corps et de son intériorité. Le corps de l'autre et le poème se confondent dans un même délit d'effraction. Dès lors, il est loisible de donner au mot « opération » désignant la « sorcellerie évocatrice » de la langue et de l'écriture à la fois le sens mathématique d'abstraction et le sens chirurgical d'incarnation.

Jouissance esthétique et jouissance érotique mêlées dans une exaltation de la violence qui n'est autre que la violence de la littérature. L'on mutile des viscères, taillade des chairs, blesse des peaux — la belle plaie — sans colère et sans haine ; qui plus est dans l'admiration générale.

Dans la compassion du geste qui blesse et répare, se cache un sens sauvage du devoir et de l'ouvrage bien fait. Couteau, plume, scalpel, *stilus*, tels sont les instruments du silence[1].

Rimbaud dans sa coutume de voir plus loin qu'il n'est permis, après avoir lancé le mot d'ordre lyrique et moderne que l'on sait, avait observé la valeur qu'a prise « la nouvelle noblesse » de la science et de la technique. Soudain les lueurs des « forges » embrasent tout l'horizon. Pur chant qui plonge ses racines dans la Raison fondée sur la science tandis qu'il surgit d'une source étrangère à la domination et au calcul que constitue l'asservissement du monde. Le « raisonné dérèglement des sens » n'est-il pas apparenté à l'ancienne sauvagerie, à l'antique jeunesse d'un commencement incompatible avec la conquête du monde ? Avide de « féerie scientifique », Rimbaud le poète, que l'on accable de la niaise épithète de voyant parce qu'il créait en différé des hallucinations de mots, appelle de ses vœux les « nouveautés chimiques ». Que désignent-elles sinon la fatalité du bonheur ? Tiraillé, exténué, le poète d'une époque qui brûle ses clôtures déclare que « la science ne va pas assez vite » reconnaissant ainsi sa dépendance au monde moderne et son impuissance à en être le conquérant.

Dans son enthousiasme pour le savoir moderne, le poète

s'insurge: « La science est trop lente. » Trop lente dans ses méthodes de recherche, trop lente dans le salut par la liberté qu'elle promet aux hommes tandis que Rimbaud décrie l'impasse narcissique du sujet empêtré dans les rets de la méconnaissance: « … l'homme se gonfle de plaisir à répéter ses preuves. »

Anesthésie et littérature: les nouveautés chimiques

Que désignent les « nouveautés chimiques » louées par Rimbaud? Le livre publié par le docteur E. M. Papper *Romance, Poetry and Surgical Sleep* (Greenwood, 1995) dissipe avec éloquence cette ambiguïté et dévoile, une fois de plus, les nombreuses racines littéraires de la médecine, y compris de l'anesthésie. La question principale posée par ce livre a le mérite d'une simple interrogation: pourquoi la découverte de l'anesthésie fut-elle si tardive? Ou comment la littérature influença la médecine. Si l'humanité souffrante est digne de compassion, si la chirurgie d'avant l'anesthésie était une effroyable torture, pourquoi les moyens de soulager la souffrance ne furent appliqués que bien après les années 1840? (En 1841, Crawford Long utilisa l'éther pour la première fois mais omit de publier l'événement. Ce n'est qu'en octobre 1846 que William Morton fit la première démonstration publique d'une anesthésie à l'éther.) Emanuel Papper, anesthésiologiste et spécialiste de littérature anglaise, dans son ouvrage propose une réponse: « La découverte de l'anesthésie fut tardive parce que, sans nul doute, la société n'était pas prête pour elle; pas plus qu'il n'y avait de l'intérêt pour la prévention de la douleur chirurgicale voire même pour le soulagement de la douleur de l'homme ordinaire. La recherche du bonheur n'était pas une idée allant de soi. » L'auteur suggère que les préoccupations concernant la douleur et la souffrance de même que l'introduction de l'anesthésie chirurgicale sont des retombées de la subjectivité romantique.

Dans un bref rappel de l'époque précédant l'utilisation de l'anesthésie, Papper choisit de souligner les horreurs de la chirurgie à froid grâce au témoignage de Fanny Burney, célèbre romancière atteinte d'un cancer du sein. Elle décrivit l'amputation : « Alors — quand la terrible lame plongea dans le sein — coupant à travers veines — artères — chair — nerfs — je n'avais pas besoin d'ordre pour ne pas retenir mes cris… Si atroce était l'agonie. »

Papper réfute l'opinion selon laquelle aucun agent anesthésique n'était disponible à l'époque. En réalité, l'éther était connu depuis des siècles. Au début du XIXe siècle, le chimiste Sir Humphrey Davy écrivit : « Puisque l'oxyde nitreux semble capable de détruire la douleur physique, il peut être utilisé dans les interventions chirurgicales peu sanglantes. » Ce ne fut pas le cas. Pour expliquer cet état de choses, l'auteur évoque la tradition gréco-latine dans laquelle la résistance des héros à la souffrance reflétait la noblesse de leurs âmes. En revanche, les croyances judéo-chrétiennes conçoivent la douleur et la souffrance comme la punition par un « Dieu vengeur » pour les péchés commis. Ainsi l'exemple du Christ n'en exalte pas moins la torture du martyr comme un chemin individuel vers la rédemption.

Les poètes Samuel Taylor Coleridge, William Wordsworth, Percy Bysshe Shelley par leurs écrits et leurs prises de position s'opposèrent à cette vision combien délétère et annoncèrent le règne de l'anesthésie.

Ils furent à l'origine d'un changement d'attitude envers la souffrance et la douleur. Les algies chroniques de Coleridge constituent la base d'une réflexion sur la nature de la douleur. Shelley, dans *Prometheus Unbound*, décrit un état hypnagogique (état de rêverie) peu différent de l'anesthésie chirurgicale. Les narrations de la douleur par ces poètes modifièrent l'incompréhension de la société et orientèrent des changements culturels et scientifiques majeurs. Le docteur Papper présente clairement les raisons qui l'ont conduit à explorer ce sujet : « La motivation à la base des sociétés démocratiques produit en retour une société qui se préoccupe du traitement de la douleur et de la souffrance — et, en dernière instance, reconnaît la prévention thérapeutique de la douleur (l'anesthésie) comme un droit». Cette étude originale croise la littérature romantique et l'histoire de la médecine à la découverte de l'anesthésie. Elle nous permet de suivre l'évolution des conceptions de la douleur dans la civilisation occidentale et de mieux cerner la vraie signification de l'anesthésiologie moderne. Modernes comme les nouveautés chimiques dont se réjouissait Rimbaud.

Éloge de la répétition

> *… l'homme se gonfle de plaisir à répéter ses preuves.*
> — Rimbaud

Je me suis intéressé à la répétition, à la fois comme théorie mathématique et comme legs d'une enfance vouée aux livres. Car l'on ne s'autorise que des livres puis de soi-même. L'énergie créatrice en littérature s'origine historiquement de la résistance de l'écrivain aux canons conventionnels. Si ceux-ci se délitent ou disparaissent, l'écrivain doit, dès lors, résoudre un problème beaucoup plus ardu, il doit créer à partir d'un manque. Pour le poète allemand H. Heine, ce manque ressemble fort à la maladie. C'est un peu sur ce modèle qu'il se représente la genèse de la création littéraire :

> C'est bien la maladie qui fut l'ultime fond
> de toute la poussée créatrice ;
> en créant je pouvais guérir,
> en créant je trouvai la santé.

Une fois de plus, la maladie d'écrire et son antidote se confondent dans un même acte de violence, le *stilus*, le style, la prédation d'un autre langage.

L'érosion des idéologies a renvoyé l'écrivain à son devoir de poésie. L'écrivain contemporain doit inventer autant que surmonter les résistances contre lesquelles son labeur d'écriture s'adosse. Il doit concevoir l'écriture comme un acte dédoublé. Dans un premier temps, il s'agira d'introduire les contraintes — figures de l'ordre — qui vont creuser un doute, définir un espace à partir des manques ; puis dans un second temps, aménager des fissures, des points de fuite — le désordre — à l'intérieur de cet espace, qui prémuniront celui-ci de la clôture et de l'oppression.

La relation métaphorique de la répétition concerne donc des espaces, à la fois cloisonnés et ouverts, au cœur d'une théorie, qui est la théorie du chaos. Monde d'ordre, intimement intriqué à celui du désordre. Le projet d'écriture se soutient du risque où le sujet tente de dire *Je*, c'est-à-dire l'altérité absolue.

Le projet d'écriture crée un lien médian dans lequel ouverture et fermeture, chaos et ordre, création et réflexion s'engagent réciproquement dans une galactique nébuleuse à plusieurs niveaux. Lorsque l'écriture se définit comme un *work in progress*, d'infinies possibilités s'offrent au créateur. Les fluctuations dues à la chance et au hasard créent des situations dont l'issue n'est pas toujours prévisible. Le devoir de poésie n'est donc pas de proposer une explication définitive mais bien d'affirmer l'autonomie de ce qui est, l'autonomie de l'énigme.

La valeur de la répétition devient de plus en plus claire, à mesure qu'elle permet à la littérature d'échapper à la prétention de la critique de clore l'espace d'écriture. Le créateur, prométhéen[2] — sûr malgré les maux que la connaissance délivre — introduit dans le corps de l'œuvre un cahot, un heurt, une secousse, un désordre qui réduit à néant toute explication. L'effet de ces traverses, de ces circonvolutions, qui ont la couleur cérébrale des voiles se mesure alors à la prolifération du texte, dont le sens, sans cesse, se renouvelle. Le silence du texte demeure énigmatique, quand bien même le créateur aménage des gouffres ou des fissures internes qui subvertissent toute explication.

Une demi-révélation

De la presqu'île de la Floride jusqu'au bassin de l'Orénoque, quelque chose se développe, de manière répétitive. Cela s'appelle un archipel. Cette image m'est apparue comme une demi-révélation, à me pencher sur une carte et des estampes. Il y avait là, ai-je pensé, quelque chose d'assez puissant correspondant à ce que, aujourd'hui, on appelle un objet fractal. C'est-à-dire que chaque île en représente une autre dans un ordre décroissant. Chaque île[3] est entourée elle-même d'îlots, eux-mêmes entourés d'îlets que cernent de petites terres émergentes. Cela s'appelle une répétition. Le principe se développe selon un processus de *marche au hasard* jusqu'à la mer infinie. Le rapport obtenu entre chaque échelle se situe entre 1 et 2 (1,80 étant un nombre typique).

Depuis la publication des travaux du mathématicien franco-américain Benoît Mandelbrot sur le principe de répétition, *The Fractal Geometry of Nature* (1983), les images fractales, considérées depuis plus d'un siècle comme des curiosités mathématiques ont donné naissance à un nouveau langage scientifique multidisciplinaire. Ce paradigme révolutionnaire tente d'expliquer tous les phénomènes répétitifs qui subissent le passage du temps. À la suite de Mandelbrot et de ses simulations de paysages par ordinateurs — simulations qui exploitent les concepts très riches de dimensions fractales —, une voie était ouverte pour établir une théorie générale des reliefs. Dès lors son champ d'application, basé sur l'observation de la nature, comprend aussi bien l'évolution du système solaire que les marchés boursiers, les arythmies cardiaques que la création littéraire, la structure des mythes ou même la psyché.

Un objet fractal est une figure géométrique formée par la répétition des motifs identiques sur une échelle de plus en plus réduite. La dimension fractale d'un paysage, obtenue par calcul, est valable à toutes les échelles : crête, vallée, montagne, région.

L'archipel des Antilles correspond précisément à cette définition. Par exemple, un arbre composé d'un tronc, de branches, de branchettes, de feuilles est également une illustration parfaite d'un objet fractal. L'archipel des Antilles, avec sa déclinaison ordonnée d'îles et d'îlots, dont la superficie décroît de manière très régulière, de Cuba à Sainte-Lucie, correspond à une image fractale. Ou mieux encore, l'Histoire elle-même : l'histoire des hommes et des nations, dont la répétition déroute et souvent obsède quiconque cherche à y adjoindre un sens.

Mais pas seulement au point de vue mathématique, en psychanalyse, il existe également une notion qu'on appelle la compulsion de répétition. Notion essentielle avec la pulsion de mort, la compulsion de répétition, malgré quelques hésitations et impasses conceptuelles, constitue les notions les plus cruciales de l'œuvre freudienne. Dans *Au-delà du principe de plaisir*, Freud repère et isole un processus incoercible d'origine inconsciente, par lequel le sujet se place activement dans des situations pénibles, répétant ainsi des expériences anciennes, sans se souvenir du prototype.

Dans son élaboration théorique, la psychanalyse s'est trouvée confrontée, dès l'origine, à des phénomènes de répétition, si l'on envisage les symptômes, certains d'entre eux sont manifestement répétitifs. Ils reproduisent certains éléments d'un conflit passé, de façon plus ou moins déguisée. Ce qui est demeuré incompris fait retour, le refoulé cherche à faire retour dans le présent.

Freud, à propos duquel il n'est pas inutile de rappeler qu'il fut récipiendaire du prix Goethe, le prix littéraire le plus prestigieux de son temps, publia en 1910 une introduction[4] où figurent des remarques lumineuses sur « la liberté poétique » et sur les conditions de la création. Au poète, il est reconnu deux qualités : une fine sensibilité permettant de capter les méandres de l'âme d'autrui et le courage de laisser parler son inconscient. En revanche, le poète est sommé de nous procurer un double plaisir intellectuel et esthétique... Portrait inédit du poète en intellectuel artiste qu'eût aimé Paul Valéry. Ce portrait de l'artiste qui réfléchit sur son art aurait été incomplet si Freud n'avait pas ajouté à ses remarques les éléments d'une véritable poétique. Pour effectuer le détournement de réalité qu'est la poésie, le poète devra passer par la transgression du langage.

La manipulation de « fragments », l'aménagement de « lacunes » et les « ruptures » syntaxiques constitueront l'essentiel d'un jeu sur les actes de langage où la poésie trouve ses résonances et Freud l'essentiel d'une technique qu'il baptisa *association libre*. À ces seules conditions s'exerce la liberté poétique.

La répétition est une figure plus compliquée qu'il n'y paraît. La répétition est une des plus puissantes, sinon la plus puissante de toutes les figures. Encore faut-il bien saisir de quoi elle est figure. L'itération qui constitue la répétition, en fait, a pour matière soit le phonème, soit la lexie, ou le segment, ou même la phrase entière, ou encore un texte complet. C'est donc la répétition, la base formelle des figures d'amplification, itération du même signifié ou du même signifiant.

Le poème absent

Mon écriture participe de ce vœu d'aridité évoqué dès l'ouverture, dès l'incipit. Chaque poème est une île ; les îles n'existent pas. Terre inconnue, poussière à la surface des mers océanes, l'île est un corps instable, solide, liquide ou gazeux. L'île est un mot qui peut sombrer. La survivance à l'intérieur même de chaque poème de cette délitescence, la répétition des consonnes soulignent la polyphonie obtenue par une insertion de syllabes destinées à retenir ou à désavouer le sens.

Il y a amplification phonique et quelquefois même contraction. Cette répétition des consonnes dans un effet de cascade cherchera à produire un bruit continu, qui est le bruit de la mer, le bruit des savanes, le bruit de l'univers... C'est donc par l'épreuve phonique, inconsciente de ce mouvement de mer que s'énonce l'impossibilité de noyer, de figer, de geler la parole ;

sans cesse dans sa solitude, la parole poétique s'augmente, se raréfie...

Au demeurant, le livre tout entier rêve d'archipel. Il s'agit en réalité d'une utopie où règne l'ordre, un ordre géométrique, représentation géodésique d'îles dont la superficie décroît jusqu'à l'émiettement, annonciateur du manque, de l'absence. Jusqu'aux cayes...ces rochers qui découvrent la mer. « Ah ! ces cayes, nos maisons... » (*Éloges,* Saint-John Perse). La caye est la figure la plus précaire de l'île, la plus fragile, toujours à la limite de la disparition, la plus émouvante aussi. La caye, lieu d'origine de toute poésie.

Quant au désordre, il préfigure la violence coloniale et l'irruption de la sexualité dans la Plantation, lieu mythique de toutes les épreuves.

C'est une des tâches de la littérature, à la fois puissance de cohésion et puissance de fragmentation, de promettre des émeutes du sens, plus belles que les révolutions parce que dénuées de buts. Car le révolutionnaire, le « chasseur des grandes causes » s'est révélé incapable d'appréhender ce qui se profile à l'horizon de la Révolution, et qui dépasse la conception que celle-ci a d'elle-même, et dont le poète est porteur. Ainsi, le livre participera à l'idéal borghésien d'une bibliothèque infinie qui répète et décompose le monde. Culte des images et utopie du discours, la mélancolie du savoir voudrait unir de façon profonde les langages scientifique et littéraire à leur objet, lequel demeure hors d'atteinte, marqué par le sceau de la stérilité et toujours prêt à fragmenter le moi de l'écrivain. Le poète ne doit son salut qu'à l'ambivalence, la réversibilité, la traduction infinie d'une culture à l'autre.

Désormais la science va vite. Ce que ne partageront pas les victimes du sida. Les chercheurs scientifiques, en raison du champ gigantesque des questions auxquelles ils sont confrontés, ont rejoint les rives de la morale et de la philosophie. La découverte des particules élémentaires de la matière, l'établissement du génome humain, les révélations de la biologie moléculaire et de la génétique sur l'origine africaine de l'homme moderne (*Homo sapiens sapiens*) saperont sans doute, comme une déflagration, les sombres clôtures qui empêtrent l'imaginaire d'un siècle dont on annonce, avec une indécence sans répit, la fin solennelle.

Le poète répugne à être le héraut de ces passions millénaristes. La bouche pleine de langues et joyeux, il empruntera non pas la langue de celui qui sait, mais de celui qui cherche, qui écoute, qui cherche le secret de la langue dans les chemins où il se faufile à travers le discours d'autrui. Jusqu'à l'inaccomplissement.

La poésie comme préscience

À rêver, sur les traces de Saint-John Perse, qu'elle se fonde sur des démonstrations mathématiques fortes, la poésie tentera non de les effacer mais de les rendre transparentes; dans le but secret d'abolir la distinction entre art et science. Qu'est-ce qu'un écrivain sinon un penseur du savoir de son temps? Paul Valéry était au courant de tout le savoir scientifique de son époque; les Cahiers du poète en témoignent. Les dizaines de cahiers rassemblent l'immense projet de construire un grand système philosophique. Pour le poète n'existe qu'un principe: l'esprit d'invention. Or, sur cette même crête inventive, se dressent les savants les plus fins de la mathématique et de la biologie contemporaine.

Que représente pour nous Léonard de Vinci? La figure de proue de la Renaissance, le symbole à lui seul de cette époque d'invention. Voici que l'esprit se libère du carcan scolastique, qu'il se fait ingénieux, ingénieur, qu'il est curieux de tout. Arts, techniques, sciences, se mêlent, s'imbriquent, foisonnent. Puis vint le temps de la séparation des genres. Chaque domaine se spécialise.

Des hiérarchies plus ou moins fondées s'établisssent. La différenciation croît avec la complexité. Au terme de cette évolution, un artiste n'a plus rien en commun avec un scientifique. Au premier, reviennent les débordements, la fantaisie et la liberté créatrice. Au second, l'exercice de la rigueur austère.

Cette évolution n'a pas toujours été le cas car les scientifiques sont une création récente. Longtemps les gens de savoir étaient tour à tour médecin, physicien et linguiste comme l'Anglais Thomas Young (1773-1829) qui découvre le principe des interférences lumineuses, duquel se déduit la nature ondulatoire de la lumière ; vers la fin de sa vie il s'attela au décryptage des hiéroglyphes égyptiens gravés sur la pierre de Rosette. Ou encore diplomate et physicien comme Benjamin Franklin (1706-1790). Il découvre les propriétés de l'électricité et formule sa théorie des charges négative et positive. D'autres savants étaient ou bien zoologues et historiens, algébristes et philosophes. Circuler entre les domaines de la connaissance était possible et légitime. Pas de clôture à franchir ou de cloisons à défaire. L'interdisciplinarité, qu'on ne cesse d'invoquer et qui demeure l'exception, fut la règle durant des siècles. Vint le temps des disciplines. À tous les sens du terme, « les Sciences » alors se dirent au pluriel.

Les scientifiques eux-mêmes tendent à s'enfermer dans des domaines étroits. Combien connaissent les avancées dans d'autres secteurs que le leur ? D'une branche à une autre, peu de questions communes. Pis : on vit s'opérer un divorce, parfois dramatique entre l'accumulation du savoir scientifique — lequel double tous les quatre ans — et l'exercice de la réflexion fondamentale. Le volume des connaissances est effrayant. Il croît à une telle allure que cela ne peut qu'aggraver notre mélancolie. Les gens de savoir resteront sans doute spécialisés.

Dans cet univers parcellisé, l'on assiste cependant à une prise de conscience. Le temps du morcellement est en train de s'achever. Ilya Prigogine (*La Nouvelle Alliance*, 1979) est l'un des artisans de cette mutation. Il est devenu le symbole d'une mutation profonde de la réflexion scientifique.

De nouveau nous voilà revenus à la genèse des géants, à

l'âge des dieux. Comment peut-on être poète à l'âge des manipulations génétiques, au moment où la biologie, science reine du XXIe siècle, se portant aux origines, fait son entrée dans l'éthique ? Mais la physique n'avait-elle pas sacrifié l'éthique sur l'autel d'Hiroshima ? En se fondant sur cette appétence pour les origines et sur l'intuition des fins (fin de siècle, de l'histoire, des idéologies, de la métaphysique), l'on saisit mieux encore le statut du poétique dans son rapport à la pensée. Le poétique, c'est d'abord la langue de l'enfance, celle de l'expérience originaire de la beauté, fût-elle indicible. C'est la langue des images et de l'imitation sonore, deux facultés propres à l'enfant, le poète est l'*infans* c'est-à-dire celui qui n'a pas de langue. Lui seul, dépossédé aux origines et en quête d'une plénitude perdue, célébrera le silence comme une sorte d'accomplissement suprême de la poésie. C'est aussi la langue de la personnification, c'est-à-dire de l'idolâtrie, forme première du religieux, commune au monde de l'enfance et à l'enfance du monde.

À ce titre, le poétique est porteur d'une double vérité, vérité de la racine corporelle de la pensée, vérité de la séparation d'avec cette racine, de la transformation qu'il opère pour devenir capacité de création d'images, comme en témoignent le vocabulaire de prédilection, les mouvements rhétoriques et les symboles dominants. Le poétique est d'ailleurs la langue de l'âge héroïque, de l'âge de la loi, dans ce même rapport double, à la charnière biologique de la pulsion et de sa représentation figurée. Configuration charnière, le langage des tropes métamorphose le délié en liaison, l'excès en nom.

Les sens, l'imagination, la mémoire, ces facultés qui ont leurs racines dans le corps, deviennent intelligence. Si l'intelligence transforme le corporel en mental, le poétique fait plus : il maintient l'équivocité au cœur de la pensée et rappelle combien toute pensée par ses racines instinctives est porteuse de cette duplicité-là.

Affirmer l'exemplarité du poétique, c'est surtout souligner — après Michel Serres — qu'il y a problème à n'être que scientifique ou littéraire, ce dont la tradition classique exprime la trace dans son postulat dualiste. Notre monde est désormais celui de la complexité, des lois provisoires, de l'ordre fragmentaire. La méfiance voire l'indifférence des contemporains en regard de la nouvelle alliance laissent affleurer ce qui en découle pour l'art, en regard de la science. Qui s'y résignera ? Si la réflexion sur la culture au XXIe siècle réinscrit avec éloquence au sein de nos préoccupations esthétiques et morales l'intuition des fins (fin de siècle), elle promeut surtout la précieuse confrontation de deux modes de pensée, l'un s'abreuve aux traditions classiques et l'autre issu du savoir scientifique. De fait, la somme des connaissances scientifiques augmentant à une vitesse folle, le fossé qui sépare ces deux mondes peut-il encore être comblé ? Puisse la fascination, qu'au fond de lui-même chacun de nous ressent pour ce qui lui fait défaut, enrichir des certitudes de la science les œuvres de fiction.

13 Gouverneurs de l'hiver
Marronnage et littérature postnationale

Désir d'hiver

Dans son essai qui annonce toute l'œuvre ultérieure, Édouard Glissant ouvre son propos poétique par un envoi :

> L'hiver a ses séductions redoutables dont il faut parfois se garder. (*Soleil de la conscience*, 1956, p. 11)

On aurait tort de voir dans cette mise en garde une simple défense paranoïaque contre le risque d'hibernation ; ce serait méconnaître la portée littéraire du parallèle que poursuit Glissant pour mieux en trafiquer les pôles ; de là toute l'efficacité du texte en forme de jubilation métaphorique : le Nord pour le Sud, la neige pour le soleil. Plus loin il poursuit sa méditation :

> Je reprends cette expérience de la neige. Longtemps, de là-bas, je la désirai, beauté menaçante. Et la première fois qu'à mes yeux elle offrit son écume, ce fut juste comme une pluie. Je l'avais connue déjà. Mieux encore, elle … la grisaille pour enfin donner à l'hiver le seul éclat de sa parole. Ainsi elle avance l'image même de la saison froide, son essence préfigurée : elle délivre de l'attente et oppose lumineusement, *elle est presque chaude*. Telle est la neige : une illumination (je touche enfin l'hiver), une ouverture

(je suis enfin à même ce spectacle, l'élargissement, la communication établie (la neige : aussi une, durable, définitive que le soleil pesant), le pouvoir maintenant d'accélérer le dialogue, de serrer de près les racines communes, comme au coin du feu. Avec elle, je sors de l'indécis pour être porté jusqu'à l'extrême contraire de mon ordre. (*Ibid.*, p. 18)

Pour Glissant, le Nord représente l'ordre, la Nature, le cycle des saisons, la patience et, enfin, il ajoute : « C'est la Mesure (labeur, semailles, récoltes), qui est liberté. » Tandis que le Sud dont il est dépossédé incarne le chaos et la démesure, le paysage forcené, la forêt sans clairière aménagée. Le Sud est un « été de pures veilles ».

Comme Roland Barthes l'illustre dans la préface de son récit de voyage au Japon intitulé *Là-bas* (*L'Empire des signes*, 1970), l'impossible voyage vers l'Autre ne peut être que *lu*, c'est-à-dire lu comme un voyage de fiction ; et si cette lecture propose un effet de vérité, c'est bien parce que tout peut arriver en littérature, y compris la jouissance dont nous nous efforcerons ici de détailler la dimension langagière.

Plus que jamais, la migration est un phénomène global. Plus de cent millions de personnes vivent aujourd'hui hors de leur pays natal. Ce n'est plus le *Cahier du retour au pays natal* qu'il faudrait lire, mais celui de la fuite hors du pays natal. Ces immigrants, marrons modernes, contribuent-ils à la diversité culturelle et à la créativité artistique, ou participent-ils à l'érosion des identités nationales et à la fragmentation des sociétés ? L'immigration facilite-t-elle les transferts culturels ou exacerbe-t-elle les conflits et contribue-t-elle au terrorisme international ? Les pays d'accueil sont dans un état de confusion sur la politique à adopter vis-à-vis de ses « nationaux étrangers » ou « étranges nationaux ». Ils ignorent si ces citoyens d'un nouveau type devraient rester ou rentrer chez eux. Doivent-ils s'assimiler ou garder leurs cultures d'origine ? Ces migrants et leurs enfants doivent-ils cultiver des sentiments patriotiques envers leur nouveau pays ou maintenir leur loyauté envers leur pays d'origine ? Cette confusion rend plus difficile pour les communautés d'immigrants la coupure des liens avec leur pays d'origine. Plus les liens sont solides entre celles-ci et leur pays natal, plus prégnant est l'effet sur la culture du pays d'accueil.

À l'aube du troisième millénaire, nous assistons à l'émergence de populations postnationales[1] comme nous avons assisté à la naissance de conglomérats multinationaux. À l'âge du multiculturalisme, l'identité des populations migrantes reste problématique. Une nouvelle force majeure est née, avec d'énormes influences sur la politique, l'économie et la culture du monde. Le postnationalisme[2] peut être défini comme l'ensemble des processus grâce auxquels les immigrants construisent des champs sociaux déterritorialisés qui relient leur pays d'origine à leur pays d'accueil. Naguère le bon immigrant était celui qui rejetait sa culture pour adopter celle de la société d'accueil, selon un modèle binaire d'exclusion/assimilation. Désormais les populations migrantes développent et maintiennent de multiples relations — familiales, économiques, religieuses et politiques qui défient les frontières. Ainsi se développent des identités à l'intérieur de réseaux sociaux hypercomplexes reliant entre eux deux ou plusieurs espaces géopolitiques.

Force est d'abord de reconnaître la globalisation de l'économie mondiale. Ce sont les forces économiques capitalistes qui en dernière instance structurent les flux migratoires internationaux. Les réponses des migrants aux puissances du marché, leurs stratégies de survie, leurs pratiques culturelles s'inscrivent dans un contexte historique d'inégalité et d'hégémonie. La fin du siècle reconduit une époque liminaire en ce qu'elle autorise l'émergence de nouveaux paradigmes. Le brouillage des identités, décentrées et multiples, postmodernes et vengeresses, est accentué par le simulacre des réseaux télématiques (internet, cyberespace), qui viennent oblitérer la distinction entre le monde réel et le monde virtuel, hybride, impur, se jouant des identités comme des frontières.

Dans la crise des identités nationales que connaît le Canada, la littérature est un enjeu pour toutes les forces en présence : pour la légitimation d'une conscience nationale dans le cadre du nationalisme québécois, pour la réinvention du Canada face aux critiques exprimées contre la politique officielle du multiculturalisme et le modèle biculturel des deux peuples fondateurs, réserves manifestées autant par les nationalistes que par les nations aborigènes et les peuples de couleur. Cette redéfinition du Canada et de la canadianité, en dépit d'une confusion due à l'espace éclaté de cet immense pays, prend place dans un contexte *postcolonial*, où s'imbrique l'expérience de ceux qui, du fait de la migration, vivent dans une situation de carrefour où se conjuguent plusieurs cultures et de multiples appartenances.

Dans un passage des *Versets sataniques*, Salman Rushdie introduit dans le flot du texte hybride et monstrueux un intertexte de James Joyce : « Les seules armes pour un écrivain sont l'exil, le silence et la ruse. » Si l'exil consiste à regarder devant soi tout en regardant toujours derrière soi, le silence et la ruse confirment l'intuition d'une démarche que nous reconnaissons facilement : le marronnage, autrefois tactique de résistance, s'est transformé en stratégie littéraire, informe la littérature postcoloniale. Celle-ci se caractérise par la lutte contre l'impérialisme culturel (critères eurocentriques de jugement et d'appréciation des œuvres, instances d'intimidation idéologiques, prix littéraires et reconnaissances) — alors même que les centres traditionnels d'oppression se sont écroulés ; également par la manipulation de la langue qui fait une large place à l'oralité, et enfin par l'attention aux phénomènes d'espace et de déplacement. La dislocation comme résultat de la migration, l'expérience de la traite ont pu provoquer l'érosion de la perception valide de soi :

> A valid and active sense of self may have been eroded by dislocation, resulting from migration, the experience of enslavement, transportation, or voluntary removal for indentured labour. Or it

> may have been destroyed by cultural denigration, the conscious and incounscious oppression the indigenous personnality and culture by a supposedly superior racial and cultural model. (Bill Ashcroft, 1989, p. 6-9)

L'on pourrait émettre la réserve que ces critères sont encore une fois définis par des théoriciens de la littérature issus d'une diaspora, certes, mais de surcroît européenne, en l'occurrence australienne. L'écrivain et professeur de lettres Max Dorsinville[3] fut le premier à proposer le modèle théorique qualifié de *post-Européen*:

> Although this has not so far been used extensively in critical accounts of the field, its political and theoretical implications have much to offer. (Ashcroft, 1989, p. 24)

De plus, parmi ces critères, la transposition de l'oral à l'écrit n'est pas propre à la littérature postcoloniale. En effet, dès 1928 l'écrivain suisse Charles Ferdinand Ramuz, comme Louis Ferdinand Céline à sa suite, plaide pour la transposition « dans le récit des caractéristiques du dialogue ». Il revendique pour cela le droit à l'usage littéraire d'un mode dévalué d'expression, l'oral populaire du quotidien. Ce choix stylistique participe du renouveau des formes idéologiquement liées à l'intérêt porté par ces auteurs non aux classes dominantes, mais à un « peuple » plus ou moins fantasmé. Un enjeu littéraire peut ainsi naître d'un décalage géo-historique des champs : de nombreux cas québécois, suisses romands, belges, ou les mouvements antillais aujourd'hui présentent des similitudes frappantes dans leur ardeur à débaucher le « français de Paris » afin de construire leur identité.

Ces données essentielles font des écrivains nés en Haïti et vivant au Québec et au Canada une population particulièrement pertinente pour étudier les effets de la migration d'une diaspora « noire » vers une diaspora « blanche » et les logiques qui sont à l'œuvre dans leurs productions littéraires. Une situation de double crise nationale, tels que les événements récents au Québec et en Haïti, où la politique pèse plus que de coutume, a constitué un cas idéal pour étudier le rapport des écrivains aux politiques identitaires, du fait de l'accentuation de la contrainte qui s'exerce sur leurs choix.

L'éclatement géopolitique vient amplifier la destructuration du champ littéraire haïtien. Si les contacts entre les deux littératures datent du début du XXe siècle (Bénito Sylvain publie *L'Étoile africaine* à Montréal en 1908), les contacts langagiers remontent eux au XVIIe siècle. Par exemple, le mot savane est un terme taïno *savana* (amérindien d'Haïti) introduit dans le lexique français en Nouvelle-France. L'émergence d'une nouvelle génération d'écrivains au Québec même a permis la reconstitution d'espaces de production culturelle dotées de structures de diffusion propres, tels que ceux restés là-bas n'en auraient jamais rêvé.

Destructuration, restructuration, dispersion, crises de représentation, autant de facteurs qui affaiblissent les mécanismes de résistance du champ littéraire en Haïti, tout en favorisant l'apparition d'une littérature de la migration[4]. Un tel décalage géo-historique choisi comme objet d'étude permettra de vérifier mes hypothèses.

Dans le mythe de la tour de Babel[5], la pulsion migratoire est exprimée par le désir de l'homme d'« atteindre le paradis », comme s'il s'agissait de connaître un autre monde, différent du sien. Mais dans ce mythe, le désir de l'homme est puni par la confusion des langues et l'incapacité de communiquer. Une analogie peut être tracée entre l'histoire de Babel et l'expérience de l'écrivain qui découvre un Nouveau Monde. Il va devoir écrire des livres sur d'autres livres. Tel un palimpseste. Comme des milliers de gens qui ne vivent pas où ils sont nés, l'écrivain affronte une multiplicité de récits, qui ne sont ni gratuits ni insignifiants et qui correspondent à une multiplicité de cultures. Enfin, l'écrivain traverse l'imaginaire de la migration dans l'euphorie.

De Saint-Domingue à la Nouvelle-France

Dans les pages de l'essai *Lettres créoles* qui évoquent la destinée tragique de Salvat Etchart, écrivain d'origine basque ayant vécu en Martinique (prix Renaudot 1969), le Canada est ainsi décrit :

> Homme porteur d'un secret farouche qu'il garda jusqu'à sa mort, en plein cœur du Canada où il s'était enfui d'écœurement. (Chamoiseau, Confiant, 1991, p. 166)

> Là-bas il a souffert de l'absence des champs de canne, de la chair rouge des traces, du balancement des croupières des négresses et des senteurs vespérales. Un jour, le goût de vivre s'est affadi dans sa bouche. Lui-même, d'un vieux geste, se retire la vie. [...] C'était un jour d'extrême froidure dans l'Extrême Nord canadien, partie la plus extrême de l'Occident. (*Ibid.*, p. 169)

Belle évocation de la glaciation qui guette toute écriture. Or, des Créoles, des Africains Américains, des Africains Canadiens, les peuples aborigènes ont participé, et ce, depuis le début de la colonisation, à l'exploration du continent nord-américain. Cette vision mortifère du Canada, stéréotype de la nordicité blanche, correspond davantage à un fantasme littéraire qu'à la réalité historique, hétérogène et multiple : différents peuples, Amérindiens, Inuit, Européens, Africains, Asiatiques ont participé à la fondation et au développement du Québec et du Canada.

À quel degré d'ironie faut-il alors hisser, dans l'historiographie et l'exploration nord-américaine, un homme comme Jean-Baptiste Point du Sable ? Né dans les environs de Saint-Marc à Saint-Domingue, vers les années 1745-1750, d'une mère africaine et d'un marin blanc, Point du Sable, après des études en France, émigra en 1765 vers la Nouvelle-Orléans et les régions du Mississippi. Cette période fut celle où la traite des fourrures s'exerça le plus activement au Canada et aux USA, période qui fut témoin de l'entière pénétration du continent américain

(Brouillette, 1939). Point du Sable se dirigea, après son mariage avec une Indienne, vers les rives du lac Michigan. Puis, il établit un poste d'échange commercial aux environs de l'embouchure de la rivière Chicago. Point du Sable attira l'attention des Anglais qui le décrivirent comme « un beau nègre, bien éduqué », mais travaillant pour les intérêts des Français et peut-être des pionniers américains. Devenu un suspect aux yeux des Anglais, il fut arrêté en 1780 et forcé de travailler en captivité. Après sa libération, il retourne à Chicago en 1783. Le fait qu'il ait passé la majeure partie de sa vie sur les rives du lac Michigan le fait passer pour le fondateur de Chicago.

Un homme d'Amérique

Traverser les Appalaches, descendre le fleuve Ohio, puis gagner Saint Louis par le Mississippi, et de là remonter le Missouri aussi loin que possible sur un bateau de trappeurs, s'enfoncer en territoire indien jusqu'à la Yellowstone River et, si le sort est favorable, peut-être même gagner les Rocheuses en dessinant tout au long les espèces sauvages — qui ne rêverait pas devant pareil projet ? Ce fut pourtant celui du Créole Jean-Jacques (John James) Fougère Audubon (1785-1851), le grand peintre ornithologue des *Oiseaux d'Amérique*, « l'orgueil de l'Amérique ». Né aux Cayes (Haïti alors Saint-Domingue), fils illégitime d'un planteur français, commerçant et négrier et d'une mûlatresse libre née Fougère, Audubon est séparé de sa mère vers l'âge de dix ans et envoyé en France au moment du déclenchement de la guerre antiesclavagiste. Il est élevé à Nantes par l'épouse légitime de son père. Ce n'est qu'en 1794 qu'il est officiellement reconnu par son père. Manifestant très jeune des dons pour le dessin, il devient à Paris élève de l'atelier de David. À l'âge de vingt ans, pour échapper à la conscription et sans doute pour aller brasser des affaires, il s'embarque pour l'Amérique où son père possède des plantations en Georgie et en Caroline du Sud. Il commence alors son étude des oiseaux d'Amérique, projet grandiose qui le mène à parcourir tout le continent nord-américain. Toute sa vie il parla la langue anglaise avec un accent créole.

Dès son arrivée sur le sol américain, le jeune Audubon dessine. En même temps, il tâte des affaires. Il s'associe à Frederick Rozier dans le but d'exploiter une mine d'or à Louisville (Kentucky) puis ouvre un magasin général cette fois à Henderson. L'association fut dissoute après un double échec commercial. Malgré ces revers financiers, Audubon ne se tient pas pour battu. Il récidive dans les affaires en compagnie de son beau-frère ; hélas ! sans succès. En 1820, il doit accepter de petits boulots pour survivre et se concentrer sur son intérêt croissant pour le dessin animalier. Il travaille alors comme taxidermiste, portraitiste ou professeur de dessin tandis que sa femme devient gouvernante.

En 1824, il considère sérieusement la publication de ses dessins d'oiseaux mais on lui conseille de chercher un éditeur en Europe où il trouverait de meilleurs graveurs et une curiosité plus soutenue pour ses œuvres. Il retourne en Europe en 1826 à la recherche de mécènes et d'éditeurs. Il est bien reçu à Édimbourg, et à la suite d'une souscription par le roi, à Londres. La livraison des planches de ses *Oiseaux d'Amérique* « mon petit travail » dit-il (437 au total, classées en 87 chapitres), la recherche toujours plus difficile — partout en Amérique « à battre le pavé » selon sa propre expression, du Canada à la Caroline du Sud — de nouveaux souscripteurs, les problèmes financiers, malgré sa renommée (le 25 septembre 1833, il est jeté en prison pour dettes) sans compter la mise en chantier du texte accompagnant les dessins *Ornithological Biography*, écrit en collaboration avec William MacGillivray, lui ont pris tout son temps. Sa réputation établie, on fait la fête au grand naturaliste, « l'orgueil de l'Amérique ». Il est de tous les bals et de tous les dîners. Les journalistes le décrivent comme un demidieu :

> L'homme est de constitution robuste. Il m'a dit ne pas avoir pris de médicaments ces vingt dernières années. Il peut supporter n'importe quelle fatigue, peut marcher trente-cinq miles par jour sans effort, et ce pendant un mois, peut dormir n'importe où en plein air, endurer tous les climats [...] Avec ses habitudes de tempérance, de régularité et d'hygiène alimentaire, il pense vivre cent ans.

Hélas, nous sommes bien loin du compte, et sa correspondance laisse entendre un tout autre son de cloche. Audubon court sur ses cinquante-huit ans, est malade et a perdu toutes ses dents sauf une. Son médecin de Baltimore lui prescrit une concoction de brandy et de camphre pour ses diarrhées.

> Je crois que je deviendrai très vite vieux à force de privations et de fatigues dans la nature sauvage, je crains que la machine ne soit usée. Mes cheveux sont gris et je me fais vieux, mais qu'importe ?

Pourtant, un autre projet né en 1839 de ses discussions avec John Bachman, ne cesse de l'occuper : s'aventurer dans l'Ouest lointain et puis en revenir avec ce qui sera, il en est persuadé, sa grande œuvre : *Les Quadrupèdes vivipares d'Amérique du Nord*. Deux volumes écrits en collaboration avec Bachman, un pasteur luthérien de Charleston, grand spécialiste des mammifères.

John James Audubon a été très célébré : c'est peut-être qu'il rend à ses lecteurs des images, une préhistoire, une sorte d'épopée de l'explorateur. Le lyrisme de la vie sauvage lui inspire une écriture diariste, éphémérides à l'unisson de la civilisation amérindienne dont il pressent la précarité et la disparition prochaine. Singularisé par son propre métissage qu'il lui arrive de mettre socialement de côté, il trouve des rythmes inspirés — quelque chose du drame de Nathaniel Bumpo, le « Bas-de-cuir » de Fenimore Cooper, le héros du *Dernier des Mohicans* — pour camper devant les Européens, porteurs de vérole, les fils du sol décimés par d'effroyables ravages :

> Nombre de guerriers choisirent de mettre fin à leurs jours pour avoir une mort plus noble. Un jeune guerrier envoya sa femme lui creuser sa tombe, ce dont elle s'acquitta fidèlement car aucune Indienne n'ose désobéir à son seigneur. Une fois la tombe creusée le guerrier, revêtu de ses plus beaux vêtements, la lance et le bouclier à la main, s'avança en chantant son propre chant funèbre. (p. 152)

De jour en jour, il s'identifie à la plaine, à l'air et s'incorpore au sol. Il blasphème d'horreur contre les Blancs, dort sous la morsure du froid avec les sang-mêlé français-amérindiens, d'un œil ouvert avec l'effroi d'un coup de tomahawk ou de griffe au visage. Cela ne l'empêche pas de cueillir les baies de cerisier ou de chanter avec délicatesse la fragrance des rosiers sauvages : « Les grands buissons d'églantiers sont maintenant en fleur et il émane un parfum d'une extraordinaire douceur qui embaume l'atmosphère » (p. 183). Mais cette plaine est habitée. Assiniboins, Gros-Ventres, Mandans, Blackfoot, dont les chefs portent des noms français *Mangeur d'homme*, *Ours de fer* ou *La Main gauche*. C'est que les coureurs-des-bois ont exploré ces rivières et ces montagnes, ils s'appellent Michaud, La Fleur, Provost, racontent de terribles histoires d'ours, croient au Grand Esprit des Amérindiens et font des enfants métis qui parlent aussi bien que le cree que le français. Une langue créole naîtra de ces mariages, le *mistif* (en ancien français métis s'écrivait mestif) encore parlé au Dakota et en Saskatchewan, vestige d'une Amérique française qui n'est autre qu'une Amérique amérindienne[6].

De la Nouvelle-Orléans au Labrador, Audubon s'enfonça au cœur de la *wilderness*, de cette Amérique « primitive » car, écrivait-il, « rien n'est plus parfait que le primitif ». Son *Journal du Missouri* (1843), dont l'écriture est parsemée d'expressions françaises, est parcouru par une force obscure, terrifiante et splendide comme la charge furieuse des buffalos martelant la prairie : — et les cris de guerre des Sioux bondissant sur leurs purs-sangs montés sans selle ni bride ne répondent plus qu'à la nostalgie : « Une bande d'Indiens en très piteux état, dégoûtants et à demi morts de faim attendait notre débarquement. » Témoin de la fin d'une civilisation et de la naissance du monde moderne, Audubon durant une existence vagabonde aura été le chantre du « grand dehors ».

Un homme illustre

L'exploration du continent vers le Nord se poursuivit jusqu'au début du XXe siècle. En 1909, l'Africain Américain Matthew A. Henson fut le premier homme à atteindre le pôle Nord. Il fit partie de l'équipe d'expédition dirigée par l'amiral Robert Peary, laquelle explora l'Arctique canadien. Henson fut le premier à fouler l'emplacement magnétique exact du pôle Nord.

La conquête du Pôle Nord aura été l'aboutissement d'un rêve poursuivi pendant plus de deux mille ans. Depuis l'Antiquité, des milliers de vies humaines et des sommes considérables d'argent furent sacrifiées dans cette aventure. Il fallut attendre le début du XXe siècle pour que la conquête de cette partie du monde encore vierge se réalisât. La réussite de cette expédition était un symbole géopolitique majeur. Car le contrôle de l'Arctique assurait le passage vers l'Asie et garantissait l'exploitation de ses ressources minières. Déjà les États-Unis avaient révélé leur ambition territoriale en s'emparant de l'Alaska. L'événement devait surtout souligner la domination de l'impérialisme américain sur les terres arctiques et par là justifier son règne sur l'ensemble du monde. Cette fois-ci, la prise ne se réaliserait ni par la bouche des canons encore moins par la soldatesque mais grâce à la supériorité technique et scientifique de l'homme blanc, capable de vaincre les plus hostiles conditions climatiques. Sa suprématie sur les « autres races » bonnes tout juste à jouer le rôle de guides, méprisées parce que considérées comme congénitalement inférieures, devait être totale.

C'est dans ce contexte idéologique marqué par les rivalités entre grandes puissances impérialistes qu'il faut placer l'expédition de l'amiral Peary. Et mesurer toute la portée de l'exploit de Matthew Henson. Le 6 avril 1909, Henson, un nègre de New York, accompagné de quatre Inuit, Ootah, Ooqunah, Seeglo et Engingwah, piétina le sommet du monde. Dans son ouvrage *A Negro at the North Pole*, publié à New York en 1912 pour rétablir les faits, il raconte comment il traîna Peary jusqu'au pôle Nord sur plus de quatre-vingt dix miles depuis le cap Columbia. Pendant que celui-ci épuisé au terme de vingt-sept marches dormait, Henson se mit à la tête de l'expédition et découvrit le pôle avant tout le monde. Mais qui était ce nègre capital ? Et pourquoi coiffe-t-il ainsi son commandant au poteau ?

Depuis plus de quinze ans membre de toutes les expéditions de Peary autant en Amérique centrale (Nicaragua, 1887) que dans l'Arctique, Henson alors âgé de quarante ans est le seul à posséder une solide expérience de l'Extrême Nord. Puissant, aussi habile que le meilleur des chasseurs inuit, parlant leur langue, il maîtrisait l'art de construire un igloo, celui de la fabrication des traîneaux et savait conduire un attelage de chiens « mieux que n'importe quel homme vivant sur terre ». « He was a part of the traveling machine » écrit Peary, qui appréciait autant sa loyauté que sa compétence. Comment comprendre le geste de Henson sinon qu'il constitue un véritable camouflet à la hiérarchie des races prônée par l'amiral Peary. Alors qu'il s'agit du rêve de sa vie, on l'imagine difficilement renoncer au dernier moment au prestige et à l'honneur de la découverte. En effet dans son livre *The North Pole*[7] publié en 1910, l'amiral consacre tout un chapitre à maquiller la « trahison » de son compagnon et à expliciter à coup d'arguments pseudo-scientifiques les motifs qui l'ont poussé à « sélectionner » un nègre et trois asiates pour l'assaut final.

> Moreover, Henson was the best man I had (...) the Eskimos, who, with their racial inheritance of ice technique were more necessary to me. (...) over the polar ice, Henson would not have been so competent as the white members of the expedition in getting himself and his party back to the land. While faithful to me [...], he had not, as a racial inheritance, the daring and initiative of Bartlett, or Marvin, or Macmillan, or Borup. I owed to him not to subject him to dangers and responsabilities which he was temperamentally unfit to face. (p. 244-245)

La rhétorique de la grandeur ne s'embarrasse pas de contradictions. Hérédité raciale honteuse, incompétence congénitale à évaluer les dangers et à assumer les responsabilités, telles étaient les tares imaginaires affublées aux « autres » peuples. Si le pôle représente le point de définition de la théorie raciale allant des peuplades primitives aux races supérieures, en détournant à son profit l'orgueil de la puissance impériale incarnée par Peary, Matthew Henson par sa résistance active aura déconstruit pour toujours le droit de jouissance de l'amiral-colon.

Flight to Canada

Flight to Canada est le titre d'un roman de l'Africain Américain Ishmael Reed[8]. Un poème du même nom écrit par le poète-esclave Quicksquill ouvre le roman :

> Dear Massa Swille :
> What it was ?
> I have done my Liza Leap
> & am safe in the arms
> of Canada, so
> Ain't no use your Slave
> Catchers waitin on me
> At Trailways
> I won't be there

Encore récemment, le Canada était constitué de deux peuples : les descendants des Français concentrés au Québec et les Anglais dans le reste du pays. Les « autres » peuples (d'origine ethnique différente), quelque importants que fussent leurs rôles dans la construction du pays, devaient se conformer à cette vision réductrice de deux peuples fondateurs. Ce n'est qu'en 1988 que la loi canadienne sur le multiculturalisme et la citoyenneté fut adoptée, dont le but est la préservation et le développement de l'héritage multiculturel canadien.

Destin des culturalismes

Le multiculturalisme dans les colonies européennes anglo-saxonnes (États-Unis, Canada, Australie) n'est pourtant pas né d'un « bon » sentiment paternaliste qui condescenderait à la reconnaissance des « autres » cultures mais doit être défini comme une conséquence des luttes idéologiques menées contre l'hégémonie eurocentriste. La notion d'hégémonie[9] correspond aux mécanismes de domination de classe dans les sociétés capitalistes. Pour Gramsci, le maintien et la reproduction des rapports de classe dans ces sociétés sont assurés non seulement par la domination physique (coercition) à travers les mécanismes de répression (luttes contre la criminalité, sévérité des peines, augmentation de la population carcérale) mais aussi par la domination des élites dirigeantes à travers des mécanismes idéologiques et culturels. Les processus hégémoniques ne sont jamais mécaniques ou absolus ; dynamiques et fluides, ils entretiennent la résistance culturelle pour mieux l'encapsuler puis la dévoyer — avec souvent le consentement des secteurs dominés — en un procès d'accommodation. Tel est le destin des culturalismes. À travers les processus de développement national, incluant les idéologies nationalistes, les classes dominantes utilisent le patriotisme national accepté par tous ou presque, parce qu'il n'implique pas en lui-même rejet d'autrui ou agressivité. L'usage politique interne du sentiment national consiste à proposer à des groupes hétérogènes un intérêt commun partagé par tous de manière à créer un état-nation, aboutissement politique des idéaux du « peuple ». Chaque nation constituant une entité souveraine, séparée, égale et naturelle. Parce que le Canada et les États-Unis constituent des nations d'immigrants, assurer l'allégeance nationale, maintenir l'indépendance du pays face aux intérêts étrangers ont toujours constitué une tâche problématique. Les forces hégémoniques ont toujours craint des populations habitant leur territoire mais dont l'allégeance politique est ailleurs. De telles populations pourraient contester la légitimité politique des classes dirigeantes à l'intérieur comme sur la scène internationale. Au Canada comme aux États-Unis, les forces dominantes ont cherché à gagner la loyauté des immigrants en construisant un imaginaire national où les peuples canadien et américain passaient pour différents et supérieurs aux autres peuples puis en assimilant les populations immigrantes à cette identité. Mosaïque canadienne ou melting pot américain, les projets nationalistes changent de formule selon les pays, les situations, les périodes. Il est permis néanmoins de souligner leur profonde similitude. Quant au Québec, les élites canadiennes-françaises oscillent selon la conjoncture politique entre un nationalisme ethnique et un nationalisme territorial. Le débat politique s'efforce de rallier le plus grand nombre de citoyens autour de l'idée de souveraineté. Dans l'histoire des mouvements nationalistes, les crises politiques ont toujours révélé en dernière instance l'importance de la place de l'armée au sein de la nation, qu'elle soit manipulée ou à la tête du mouvement.

Le concept de nation développé en Amérique du Nord repose historiquement sur le génocide des populations amérindiennes et l'esclavage des populations africaines. Cette vision de l'inégalité des « races » humaines a pu être renforcée par la Révolution américaine qui justifia l'indépendance d'un état basé sur le travail des esclaves africains. Une telle idéologie permet de perpétuer jusqu'à nos jours la subordination de la population africaine américaine.

Les forces hégémoniques, devenues plus subtiles, prennent désormais soin d'assurer leur légitimité au-delà d'une vision unique facilement contestable. Elles définissent les limites des débats et l'ampleur des visions alternatives. L'hégémonie se renouvelle ainsi constamment en mettant en œuvre de formidables capacités d'adaptation. Dans la foulée des luttes pour les droits civiques menées par les Africains Américains au début des années soixante, elles-mêmes inscrites dans le contexte mondial de la décolonisation, des efforts réels furent faits pour modifier, vers une définition culturelle plurielle, le concept de nation. L'arrivée durant ces années de larges populations d'immigrants de couleur ajouta des défis supplémentaires aux stratégies hégémoniques d'assimilation. Ainsi naquirent des constructions alternatives et la popularisation du modèle multiculturel. Durant ces dernières années, le développement de définitions alternatives de la nationalité n'a en rien réduit le procès hégémonique de l'empire nord-américain. La situation économique des populations subordonnées s'est même aggravée.

L'étude de l'histoire est un puissant antidote à l'arrogance contemporaine. C'est avec humilité que nous découvrons que beaucoup de nos croyances que nous affirmons nouvelles ont été vérifiées par le passé, pas une mais plusieurs fois ; pour finir par découvrir, après de lourds sacrifices humains, qu'elles étaient fausses. Les grands empires, l'Empire romain, la Perse, étaient multiethniques et multireligieux. Ceux de l'Afrique de l'Ouest également. La tolérance était une nécessité politique afin de ne pas mettre en péril la survie du domaine impérial. Chacun des nombreux groupes qui constituaient l'Empire romain devait respecter les droits des autres, leurs dieux et rendre hommage autant aux chefs politiques qu'aux divinités de la Rome antique. Autrement, chacun était libre de suivre sa propre religion et ses propres coutumes. Les Païens n'étaient pas intolérants face aux autres croyances religieuses. Ce fut la tradition judéo-chrétienne avec la croyance en un seul Dieu pour l'humanité entière qui introduisit l'intolérance dans la civilisation occidentale.

Le culturalisme ou culture de la culture

L'histoire multiculturelle du Canada n'est pas récente. Le vaste territoire couvrant toute la partie sud du bouclier canadien, du Labarador à la Baie James et jusque dans la vallée du Saint-Laurent, était habité par des peuples de plusieurs familles culturelles et linguistiques (iroquoise, algonquine, cri) qui entretenaient des échanges commerciaux et matrimoniaux. Les tribus nomades autochtones occupaient ainsi cet immense territoire qui apparaît comme le théâtre d'un vaste brassage culturel et généalogique. Après l'Indépendance américaine, un intense métissage ethnique eut lieu, contribuant à la formation du Canada : Écossais, Huguenots français, Hollandais, Indiens et loyalistes noirs. Les Africains y furent emmenés en captivité dès le début du XVIIe siècle comme esclaves. Durant tout le XIXe, *the Underground Railroad* constitua un chemin de liberté pour les marrons africains américains en fuite vers les États du nord et le Canada.

L'image du Canada, pays accueillant et tolérant, est en quelque sorte validée par les politiques gouvernementales d'immigration et d'accueil des réfugiés. Cependant il existe une histoire bien moins vibrante d'intolérance. Cette fiction ne saurait être acceptée sans tenir compte de ces zones d'ombre : l'enfermement des aborigènes dans les réserves après avoir spolié leurs terres, l'extermination des Beothuk de Terre-Neuve, la déportation des Acadiens en Louisiane, le génocide des Indiens de la tribu Renard par les Canadiens français, la pendaison du leader métis Louis Riel, le dénigrement du Canada français dans le rapport de Lord Durham, les taxes iniques imposées aux immigrants chinois, la déportation et l'internement dans des camps de concentration des Nisei (Japonais-Canadiens) durant la Deuxième Guerre mondiale, la destruction d'Africville à Halifax, le refus de laisser accoster à Vancouver un cargo chargé d'immigrants Sikhs : autant de pages douloureuses, autant d'ignominies dans l'histoire du pays. Fait remarquable après des années de lutte pour la réparation des injustices subies, les communautés chinoise et japonaise du Canada ont reçu en 1988 des excuses officielles du Parlement fédéral tandis que des indemnités financières leur ont été versées.

La politique officielle du multiculturalisme a pu être épinglée comme une manœuvre de déculpabilisation collective, voire comme un stratagème idéologique pour folkloriser les ethnies, « ethniciser » les Canadiens français et évacuer ainsi la question nationale au Québec. L'écrivain Canadien d'origine trinidadienne Neil Bissoondath a, dans un récent essai sur les politiques du multiculturalisme, traité le gouvernement de marchand de chimères. Dans *Le Marché aux illusions*[10], il formule ses critiques contre ce qu'il nomme la simplification de la culture :

> Il y a quelque chose de tape-à-l'œil et de séduisant dans le multiculturalisme canadien ; il se manifeste dans la joie et dans la bonne humeur, par le stéréotype insipide du Canada traditionnel dans les festivals « ethniques » qui ont lieu partout à travers le pays. (*Ibid.*, 1995, p. 98)

Bissoondath s'autorise du prestige et de l'héritage intellectuel de son oncle V.S. Naipaul (p. 93) pour déclarer que l'idéologie multiculturelle fige les cultures en stéréotypes et bafoue la citoyenneté des nouveaux arrivants en les enfermant dans des ghettos culturels. Le multiculturalisme, écrit-il, c'est l'euphorie en tant que politique publique. [...] « on a tendance à réduire le rôle et l'autonomie de l'individu en cherchant à le confiner à l'intérieur de limites précises et fortement tributaires des stéréotypes » (p. 222). Bien que se défendant de n'avoir aucune idéologie à vendre, Bissoondath termine sa plaidoirie par un curieux appel à la pureté :

> il faudrait arriver non pas à préserver ces différences mais à les intégrer dans une nouvelle idée de canadianité, d'un Canada

> où les différences et les similarités se fusionnent aisément et *où personne ne souffre d'une double appartenance.* Un peuple d'hybrides, où chaque individu est à la fois unique et distinct. Une société où chaque individu est canadien, *pur et entier.* (*Ibid.*, p. 233)

Cette pureté idéologique sous la plume d'un romancier laisse perplexe lorsqu'on sait que le Canada est en vérité un des pays les plus homogènes sur la planète, et que la mosaïque culturelle tant décriée n'est qu'un mythe. Dans cette perspective, il n'est pas inutile de relever la lutte menée par l'extrême droite américaine contre le multiculturalisme. Des organismes très puissants tels que Heritage Foundation, National Teachers Association, National Rifle Association commanditent études et recherches qui soutiennent une vision uniciste, blanche et anglo-saxonne de la culture. Des ouvrages comme *The Bell Curve,* ou *The End of Racism* alimentent régulièrement ce genre de débat dont les enjeux politiques, au nom d'une prétendue infériorité intellectuelle congénitale des Africains Américains, consistent à abandonner la partie la plus vive de cette population à la pulsion de mort (drogues, criminalité, homicides, destruction des familles).

Neil Bissoondath craint que le multiculturalisme n'aboutisse, malgré ses «bonnes» intentions, qu'à créer des divisions entre les groupes, sorte d'apartheid culturel *soft*, ethnique[11]. Il se refuse à croire que la reconnaissance de l'ethnicité et de l'identité de groupe puisse changer la société canadienne d'une manière durable et va jusqu'à réclamer — en raison des risques de ghettoïsation et de folklorisation — «a standard of what is to be Canadian». Enfin, il veut arracher la définition de la culture des mains des politiciens. N'en jetons plus. Ce qu'il convient de retenir ici, outre le caractère normatif de la demande, c'est le jeu de miroirs entre le désir de Bissoondath et le projet de la loi sur le multiculturalisme — laquelle réfute explicitement toute notion de modèle, toute visée d'uniformisation, source de haine et d'intolérance. Car, par une exigence troublante, l'argumentation de Bissoondath repose, au nom d'une certaine impatience universaliste, sur l'occultation de sa propre ethnicité. Tout se passe comme si les élites occidentales avaient apparemment renoncé aux utopies universalistes du XVIIIe siècle, considérées comme dangereuses et totalitaires, pour mieux les recycler, vieux fétiches périmés, auprès des élites occidentalisées de la périphérie. Lors même celles-ci habitent, produisent et vivent au centre, leurs œuvres littéraires ou artistiques sont arbitrairement connotées d'une étiquette.

Tout en sachant gré à Bissoondath d'avoir à sa façon déniaisé l'optimisme béat du multicuturalisme, j'avance qu'il ne tient pas assez compte dans son raisonnement du poids du passé, du lourd héritage raciste que l'Amérique doit expier si elle veut vaincre ses démons naturels. Ce que Faulkner appelait sobrement : « l'avenir du passé ». Emporté par sa passion de l'universel, il solde un peu vite les millions de morts, victimes des fureurs génocidaires et esclavagistes en Amérique.

Ainsi parla l'oncle

Il reste à expliquer comment un écrivain aussi lucide puisse imprimer une torsade si rude à la double migration dont il est issu. Celle menant ses ancêtres du delta du Gange aux champs de canne de la Caraïbe, afin de remplacer la main-d'œuvre africaine libérée de l'esclavage, puis celle le conduisant — lui et cinquante mille de ses congénères — cent cinquante ans plus tard au Canada. Est-ce la violence du sous-continent indien avec son système de castes, ses guerres ethniques et religieuses qui l'ont légitimement prémuni contre la fragmentation ? Ou plutôt sont-ce les séquelles de ces traditions à Trinidad même dont le tissu social couve des antagonismes coloniaux entre Indiens et Africains ?

V.S. Naipaul a déjà écrit de son île natale qu'elle dansait sur les franges d'une guerre raciale. Du Trinidadien africain, il prétendait que « ses valeurs sont celles de l'impérialisme blanc le plus bigot » tandis que « l'Indien méprise le Nègre parce qu'il n'est pas indien ». C.L.R. James (1901-1989), le théoricien trotskyste de la décolonisation, originaire de la même île, disait à son tour de l'oncle de Bissoondath :

> Naipaul is an East Indian. But the East Indian problem in the West Indies is a creation of politicians of both races, seeking means to avoid attacking the old colonial system. The East Indian has become as West Indian as all the other expatriates[12].

James était un petit-bourgeois révolutionnaire, un apatride chassé des États-Unis « comme un étranger indésirable » durant les années du maccarthysme. Il devint un des grands penseurs de la décolonisation, dont l'influence s'étendit en Europe et dans le Tiers-Monde. La réédition, en 1963, de son analyse de la révolte antiesclavagiste en Haïti, *The Black Jacobins* (1938), paru un an après le *Cahier d'un retour au pays natal* d'Aimé Césaire, fit de cet ouvrage un classique de l'historiographie contemporaine. Car à la grande différence des idéologues nationalistes, Cyril Robert Lionel James était surtout un écrivain qui aimait Shakespeare, T.S. Eliot, Lorca, Wilson Harris et Césaire. Depuis sa mort survenue en 1989, un grand nombre de livres soit écrits par lui, soit à propos de son œuvre, ont été publiés. Le portrait qui en émerge est celui d'un homme profondément engagé dans les luttes et les espérances des groupes révolutionnaires auxquels il a appartenu. Il vivait pour assister à l'écroulement des systèmes américain et soviétique qu'il qualifiait de « capitalisme d'état ». L'énergie créatrice des peuples opprimés, pensait-il, pourra alors régner. Cette vision fondamentale antitotalitaire, lors même qu'il se laissa aller à l'ivresse au sein des « peuples », lui assurera toujours une sorte de bouée d'ancrage grâce à quoi il échappera par exemple aux messianismes tiers-mondistes. La passion des lettres qu'exacerbe le déracinement caraïbe lui permet de nous révéler, dès 1938, l'immensité du mensonge idéologique. Pour cela, C.L.R. James demeure à jamais notre extrême contemporain.

Que Neil Bissoondath, écrivain de la migration caraïbe au Canada, cherche à renouveler le discours culturaliste dans son pays d'adoption, une telle exigence morale eût sans doute ravi C.L.R. James. L'optimisme de James se déployait dans les lectures précises de Whitman, Melville, Shakespeare. Il était immensément curieux et ouvert : il répondait avec autant d'intensité à Dante, à Beethoven ou à un roman de son ami Richard Wright. James nourrissait une passion pour l'Amérique. Il concluait son ouvrage *Mariners, Renegates and Castaways*[13] ainsi :

> I have spent countless hours studying American history and American literature, relating the present to the past, and estimating the American future. I am profoundly conscious of the deficiencies of American civilisation, but [...] there is here not culture but a need for human relations of a size and scope which will in the end triumph over all deficiencies.

La culture de la Caraïbe ne se limite pas à une région géographique. James souhaitait pour chacun la fréquentation des œuvres de Platon et d'Aristote. Il arrimait sa pensée à la tradition occidentale. La Caraïbe n'est pas en périphérie. Moderne, contemporaine, elle détermine depuis 1492 le destin de l'Amérique tout entière. Nous sommes tous des Caraïbes urbains. Le goût des guerres et des massacres, l'appétit de conquête, de pouvoir et d'exploitation ont d'abord ensanglanté cet archipel d'Amérique. Chacun soupçonne le tropisme secret et silencieux pour la mort, l'aimantation de tout un continent pour la violence.

Comme le propose Alain Touraine, il faut sortir d'un manichéisme dangereux qui consiste à opposer l'universalisme abstrait à un multiculturalisme caricaturé. Nous n'avons pas à choisir entre les deux modèles, mais à les combiner, faute de quoi nous risquons d'être emportés dans des issues dramatiques. La société multiculturelle s'oppose au communautarisme : ce n'est pas la séparation des cultures qui constitue une société multiculturelle, mais la communication entre elles. Encore faut-il que soit abandonnée la prétention d'une culture — la culture « nationale » en l'occurrence — à s'identifier à la modernité et à l'universalisme.

De Haïti au Canada

Le sens du titre

« Reine-bayonette », « Reine-minminne », « Reine-drapeau », « Général-découvert », « Gouverneur-la-place », « Gouverneur-peuple », les titres sonores que portaient les membres dignitaires des Sociétés de Travail de la paysannerie haïtienne ne correspondent pas toujours à des fonctions précises et sont loin d'être interprétés dans toute leur richesse sémantique. Les plus démunis de la nation haïtienne se sont accrochés à une terre morcelée à l'extrême, épuisée, utilisant un mode d'exploitation qui associait le travail corporatif, « la coumbite », et le travail salarié. L'organisation familiale était celle de la famille étendue : la cour (« lakou »), placée sous l'autorité matérielle et morale du chef de famille.

Cette organisation sociale s'est désagrégée en raison du morcellement des terres, de la surpopulation rurale avec le corollaire obligé de la migration vers les villes haïtiennes ou étrangères.

Les écrivains haïtiens ont poétisé ces manifestations d'entraide paysanne et l'ont exaltée comme une tradition susceptible d'être une forme nouvelle d'exploitation de la terre. *Gouverneurs de la rosée, Compère général soleil* sont les références classiques. *La Reine soleil levé* de Gérard Étienne appartient à la même typologie. Que dire du roman colonialiste *The White King of La Gonâve*[14] écrit par le sergent américain Wirkus durant les dernières années de l'Occupation américaine. Wirkus décrit la vie sociale des habitants de l'île de la Gonâve et leur regroupement au sein des sociétés d'entraide. La société de la Gonâve était dirigée par une femme, la reine Minminne, qui au cours d'une cérémonie nocturne, au son des *vaxin* et des tambours, sacra l'auteur Roi de la Gonâve. Roi éphémère d'une société éphémère, il n'est pas sûr que le sergent Wirkus ait compris le sens du simulacre dont il a été l'objet.

Cependant, peu d'études se sont attardées sur l'autodérision qu'expriment ces titres, sur leur caractère parodique, sur le marronnage à l'œuvre dans ces dénominations, véritable détournement de propriété[15].

Quelles stratégies de jeu et de résistance ces appellations cachent-elles?

Quiconque s'interroge sur la littérarité de ces titres — à savoir ce qu'ils ont si spontanément de littéraire au point de recouvrir plusieurs œuvres —, se demande aussi à quelle ancienne noblesse appartiennent-ils, ou du moins comment ont-ils gagné leurs lettres de noblesse, ou encore à quoi tient l'efficacité toute guerrière de la prose? Alfred Métraux[16] nous explique:

> il faut tenir compte de la part du *jeu* qui existe dans cette mascarade et ne pas oublier que les dignitaires eux-mêmes, à quelques exceptions près, ne prennent pas très au sérieux leur haute position. [...] Les paysans sont conscients que tout cet appareil militaire leur est venu de l'époque des guerres civiles lorsqu'ils étaient embauchés de force dans les différentes armées révolutionnaires. Ce serait méconnaître l'esprit et la nature de ces sociétés que de mettre uniquement en relief leur côté utilitaire. Un des objectifs des sociétés de travail est aussi de procurer à leurs membres des divertissements, et l'occasion de satisfaire leur *goût de la pompe* et de la *mise en scène.* («Les paysans haïtiens», 1951, p. 115)

Qu'est-ce à dire? Jeu, mascarade, goût de la pompe, travestissement du réel et mise en scène, ces connotations, auxquelles il faudrait sans doute joindre la danse et la musique, fournissent une réponse implicite à la doxa littéraire. Ces titres donnent au texte littéraire un pouvoir intense dans l'établissement de l'image du monde et dans la transmission de l'expérience humaine globale. Les hommes ne sont que des rois découronnés.

Hors du cadre sociologique, ces titres confèrent une valeur humaine irremplaçable en matière de contenu, tout autant qu'en matière d'expression. Rois, reines, ainsi que nous le fûmes tous dans l'enfance, avant d'être chavirés. À considérer le groupe d'écrivains québécois d'origine haïtienne, établi sur des frontières littéraires de plus en plus contestables, il m'est apparu séant de les appeler *Gouverneurs de l'hiver.* Le terme gouverneur trahit la prégnance du modèle sociétal paysan dont j'ai tenté de dévoiler et l'encodage parodique et l'usage littéraire; quant au mot hiver placé en oxymoron, il renvoie à l'avertissement lancé par le poète Gilles Vigneault: «Mon pays, ce n'est pas un pays, c'est l'hiver.» Enfin, l'hiver est aussi l'anagramme parfait, du point de vue phonétique, du mot livre. Tout cet artifice permettra, du moins je l'espère, de faire exploser toute vision normalisée de la réalité, remettant sans cesse en cause le statut de l'être-au-livre qu'est l'écrivain.

Quoi de plus ironique et désespérée que la geste d'un écrivain qui ambitionne le titre de gouverneur de l'hiver? Abandonnant l'insularité, la luxuriance, la chaleur pour le continent alité, l'austérité, le froid, quel désir d'hiver le pousse à marronner l'exiguïté pour l'immensité?

Qu'est-ce que la littérature postnationale?

En introduction à son essai *Caliban without Prospero*, Max Dorsinville soulève la question d'abord posée par René Wellek (*Theory of literature*, 1949): Qu'est-ce qui fait la nationalité d'une littérature? L'état politique? Le langage? Le lien géographique?

> [...] This, of course, raises the whole question of what makes the «nationality of literature»? Political statehood? Langage? Geographical emplacement?

As fine as a literary mind as René Wellek had to confess that theoretically, this is a moot point.

Dépassant l'obsolescence de la question, Dorsinville se fixe alors comme projet en comparant les littératures du Québec et de l'Amérique Noire de retrouver les spécificités d'une littérature qu'il qualifie dans un premier temps de calibanique. La dernière pièce écrite par Shakespeare, *The Tempest*, met en scène Prospero le duc de Milan et Caliban « le sauvage, l'esclave » que le duc, homme de la Renaissance, a réduit à la servitude. Le conflit Prospero-Caliban (thèse-antithèse) fournira à Dorsinville le contrepoint historique nécessaire à son argumentation. Désormais, Caliban partage deux cultures qu'il devra intégrer dans sa vision du monde.

D'Octave Mannoni (*Psychologie de la colonisation*) à Aimé Césaire (*Une Tempête*) la confrontation mise en scène par Shakespeare a été largement commentée comme une métaphore du colonialisme moderne. Dans une vision complémentaire, *The Sea and the Mirror* (1945) constitue le poème clé pour qui veut aborder l'œuvre de W.H. Auden. Le thème central du conflit entre art et réalité se greffe sur *La Tempête* de Shakespeare : avec une audace qui traduit à la fois une parfaite connaissance des données shakespeariennes et la volonté d'en contester la portée, Auden parvient à suggérer une vision nouvelle du texte en opposant à la magie de Prospero la lucidité tellurique de Caliban. Sensible à la conception de Janheiz Jahn (*Néo-African Literature)*, lui-même tributaire du romantisme allemand, Dorsinville montre que les « spécificités » culturelle, littéraire, nationale sont liées entre elles. Pour décrire l'ensemble des littératures africaines, antillaises, canadiennes-françaises ou noires américaines et dépasser le dilemne normatif que provoque leur caractérisation en littérature mineure, régionale, nationale ou ethnique, il propose le premier une théorie descriptive :

> Embracing a host of literatures which form a common "post-European" genesis. Emerging in the nineteenth century, in the historic context of Europe's dream of aggrandizement, post-European literature comes paradoxically on a logical continuation in a *process of miniaturization*[17] of the concept of culture that started with the late Renaissance in Europe. [...] From the initial premise of a European "organic whole", we come to a resolution with another organic whole which is that of post-European literature. (Dorsinville, 1974, p. 16)

Cette théorisation qui rend compte de la fin des empires coloniaux européens aura la fortune conceptuelle que l'on sait, puisqu'elle donnera naissance à celle de littérature postcoloniale (Ashcroft, 1989). Dette reconnue. Insuffisamment.

Du bon usage des préfixes

Né en Haïti en 1943, arrivé au Québec à l'âge de 11 ans, élevé à Montréal puis aux États-Unis où il fait des études de littérature comparée, professeur à l'Université McGill, Dorsinville est lui-même de par son parcours un explorateur de limites. Sa théorisation réfute le cloisonnement en littératures nationales ou régionales. Puisqu'il nous a permis d'éviter les contresens sur la littérature et de replacer celle-ci sous le signe de l'enchantement — a contrario du désenchantement européen — Dorsinville est à sa manière l'un des inventeurs de la postmodernité.

Maître-mot de la réflexion esthétique de la fin du XXe siècle, la postmodernité commande le déploiement culturel du siècle nouveau. Avant le préfixe « post », pour d'autres avant-gardes, les préfixes « anti » et « contre » au cours des années soixante, désignèrent de multiples tentatives de renouvellement formel : « antiroman », « antithèse », « antipsychiatrie », « antiŒdipe » « contreculture », avant de céder leur place à un autre préfixe : « hyper ». L'on parle désormais d'hypercomplexité (André Green).

Quant à l'expression *postmodern*, elle a été connotée pour la première fois en 1951 par le poète américain Charles Olson. Dans une lettre à Robert Creeley, il remet en question la tendance moderniste à valoriser les reliques du passé. La postmodernité dans son éclectisme ironique correspond à la période historique débutant à la fin de la Deuxième Guerre mondiale.

Olson traduisait la volonté d'adopter une approche expérimentale à la composition, ainsi qu'une vision du monde qui se distingue de la culture nationale, du narcissisme, de la sentimentalité et de l'expression de soi dans l'écriture. À l'occidentalisme (Occident, Quattrocento, Renaissance), aux référents de la grécophilie, il souhaitait ajouter Sumer et les glyphes mayas : « Être un peuple de couleur aujourd'hui, ce n'est pas rien ! Le Nègre aux États-Unis a cent lieues d'avance sur les gens qui ont 400 ans de sommeil derrière eux ! » Si l'histoire des mots éclaire celle des notions, elle ne rend compte que des processus explicites de la nominalisation, et encore que partiellement. En suivant les vues d'Olson, l'on perçoit déjà combien le postmodernisme est surtout un postnationalisme. Si le nationalisme est une crise de la modernité provoquée par l'émergence de la société industrielle et la fragmentation des sociétés agraires traditionnelles, le postmodernisme est une liquidation de la modernité provoquée par la décolonisation, la réhabilitation des cultures « primitives » et la faillite de l'homme blanc dans son entreprise de maîtrise de l'humanité. Dans l'ouvrage *Re-situating Identities* (1996), Cohen démontre la fabrication de l'identité nationale[18] :

> The manufacture of national identity might reasonably be regarded as the attempt to diminish people's consciousness of their individuality and distinctiveness, and to superimpose over this a consciousness both of their similarity to their co-nationals and their difference from others.

L'Occident du monde

Dans son premier roman, *James Wait et les lunettes noires* (1995), Max Dorsinville opère un passage périlleux de la théorie littéraire à la fiction romanesque. Double articulation retrouvée de plus en plus fréquemment chez les romanciers antillais (J.S. Alexis, Jacques Roumain, Édouard Glissant, Patrick Chamoiseau, Raphaël Confiant) qui accompagnent leurs œuvres de fiction d'une réflexion sur les enjeux de l'écriture. Ce travail de passeur se déploie tout autant chez les écrivains européens (Kundera, Mertens, Danilo Kĭs) qui défendent les valeurs propres à l'art du roman. Chez Dorsinville, nous eûmes d'abord droit au versant théorique, de sorte qu'une interrogation légitime accueille le roman : la doctrine l'emportera-t-elle sur l'œuvre ? L'ordre rhétorique sur l'invention ? Pour Guy Scarpetta (*L'Âge d'or du roman*, 1996), ce travail de militant est à la fois encourageant et inquiétant car la défense et l'illustration de la littérature risquent de devenir la seule affaire des praticiens.

La migration est une position de parole ; Dorsinville en a eu l'intuition. C'est ce qui confère à son autobiographie masquée une ambition que viennent sanctionner des personnages : tous en déplacement. Entre eux se noueront autant de formes de complicité comme si la dis-location était l'unique solution tenable, mais coûteuse de cette aporie.

Un professeur d'université, africaniste, invité à Dakar se souvient ... La tonalité de la narration est volontiers à la remémoration. La quarantaine cynique et désabusée, il incarne le personnage type du maître d'école, responsable de la transmission de la connaissance. Sa stratégie de marronnage, de semeur de mauvaise conscience dans les cervelles des enfants de la bourgeoisie nord-américaine a tourné court. Son discours progressiste, ses idées-forces butent contre la dérision des étudiants. Sa femme Denise, autrefois dionysiaque et sensuelle, cultive ses cheveux gris. Naguère grande et belle, sa chair est devenue flasque. Qu'importe les ravages du temps! Le narrateur découvre les vertus d'une vie sans histoire, douce-mièvre, somme toute coulée dans l'ennui. Et quand, dans son exil africain, il reçoit une lettre de Barbara (la barbare), négresse blanche, canadienne élevée au Kenya, dont il fut amoureux, le souvenir de son ancienne étudiante envahit tout naturellement le baume du retour éphémère en Afrique. Vie sans histoire(s)? Et cette histoire passionnelle, dont la conscience douloureuse est le véritable sujet du roman, colorera celle de tous les personnages. Comment écrire une histoire et des histoires dont on ne peut repérer le sens, dans lesquelles tous les personnages fuient une part d'eux-mêmes? Le narrateur demeure nostalgique d'une enfance haïtienne blessée; Denise se révolte contre son milieu obtus de la bourgeoisie de province tandis que Bill, le déserteur américain, fuit la guerre du Vietnam.

C'est dans le climat du Québec des années soixante que débarque James Wait le marron noir américain fuyant, lui, son ghetto. Sans doute daté par l'époque qu'il décrit, ce roman campe néanmoins des types humains inoubliables, qui ne sont pas des stéréotypes, mais des archétypes dont la subtilité ou la brutalité n'empêchent pas le lecteur de s'y reconnaître. Si James Wait est l'archétype du Noir américain qui cherche à échapper à sa condition d'opprimé grâce au sport[19] (*cf.* l'exemple de Jackie Robinson), Bonbon incarne le *Creole candy*, maquereau mulâtre que l'on croise volontiers dans les romans noirs américains. En tout cas, c'est lui qui initie le narrateur alors étudiant, aux amours vénales. Est-ce cette culpabilité ambiguë liée à la sexualité avec les femmes blanches et au racisme des nègres entre eux[20] qui confère au roman une force indéniable?

Que dire à une société décomposée par l'affrontement inhumain des classes et des races? Quelle permanence, et donc quel sens les œuvres peuvent-elles avoir au milieu des révolutions nationalistes porteuses de restaurations? En l'occurrence, la révolution tiers-mondiste et son expression québécoise, la révolution tranquille.

Le regard dit tout, les lunettes noires davantage

À juste titre dans ce roman, les dimensions socioculturelles de la migration concrétisent l'essence même de l'acte d'écrire. Le texte littéraire est le seul dont chacun sent qu'il est écrit pour lui en sachant qu'il est écrit pour tout le monde. Corrélativement, l'écrivain est cet être contradictoire qui livre le plus intime de soi dans un dialogue personnel avec le lecteur et se dérobe derrière les lunettes noires du personnage public d'auteur. Le regard dit tout, les lunettes noires davantage. Fameux artifice que portent tant de personnages du roman : objet fétiche de la reddition illusoire des identités mais aussi réminiscence mimétique du macoutisme des Duvalier (les tontons macoutes en portaient tous).

L'entreprise romanesque de Dorsinville prend donc prétexte de tous ses microrécits de la migration et prend l'aspect d'un vaste ratissage au cours duquel l'écriture récupère toutes les formes littéraires et tous les idiolectes : discours universitaires, énoncé historique, citations littéraires et musicales, joual montréalais et slang noir américain. Entremêlées les unes aux autres, avec curieusement une occultation du créole, les langues se fondent dans une diversalité. Telle est aussi la parole de la migration : jetée dans la confrontation d'horizons nationaux, de cultures « nationales » voire régionales très fortes : Haïti, la Georgie, Brooklyn, Coolbrook et son Monument aux Morts (toponymie transparente de la ville de Sherbrooke), le Kenya, Dakar... Dans ce roman diglossique, l'appareil infratextuel (notes et traductions de l'anglais en bas de page) produit un effet de rupture, voire de clivage, rendant quelquefois le lecteur étranger à sa lecture. Le jeu des langues ne réussissant pas toujours à proposer une véritable polyphonie narrative, il y a risque d'ethnicisation de l'écriture. Lise Gauvin définit ce qu'elle appelle la *surconscience linguistique* de l'écrivain en ces termes :

> Le commun dénominateur des littératures dites émergentes, et notamment des littératures francophones est de proposer, au cœur de leur problématique identitaire, une réflexion sur la langue et sur la manière dont s'articulent les rapports langues/littératures...

Dans sa réflexion, elle s'inquiète de ce que « les littératures francophones, à la différence des autres littératures américaines, sont les seules à n'avoir pas renversé en leur faveur la dialectique du centre et de la périphérie ». C'est bien là, souligne-t-elle, le problème des littératures américaines de langue française[21]. Est-ce pour sortir de ce dilemme que l'écrivain Dorsinville envisage d'écrire une version en langue anglaise de son livre ?

Le roman fournit par ailleurs l'occasion d'une méditation sur l'âge et la migration. Bien que la migration produise un impact à n'importe quelle époque de la vie, ses effets ne sont assimilés qu'en fonction de l'âge au cours duquel le déplacement s'est produit. Grinberg[22] précise :

> A child has special needs. He has not participated in the decision to leave, and even if explanations have been offered, the child is generally at lost to understand adult motives for moving. (Grinberg, 1989)

Envoyé dès son plus jeune âge en pension au Québec pour échapper à l'obscurantisme de la terre natale, l'étudiant du roman perd ses liens familiaux et devra passer par un processus de perte, de deuil et de réparation. Le pensionnat catholique sera sa nouvelle famille ; il se croira canadien-français, en tout point semblable à ses camarades de pension. « Je suis Haïtien ! Tonnerre ! » s'exclamera-t-il un jour, frustré d'avoir été abusé par nul autre que par lui-même.

Le sentiment d'être abandonné par ses parents a été refoulé. L'angoisse de la séparation et la culpabilité de ressentir des émotions hostiles envers de « bons » parents se métabolisent sous la plume de l'auteur en un rejet de la culture canadienne-française, de « leurs pommes de terre et de leur soupe aux pois ». Les personnages canadiens-français sont antipathiques quand ils ne sont pas des « pères émasculés, des mères névrosées » ou des jeunes femmes hystériques, « le Québec à la bouche ».

Entre tant de romans autobiographiques, journaux intimes, souvenirs, confessions, *James Wait et les lunettes noires* vient se proposer et donner à voir l'homme qui se cache — ou se montre — derrière elles. Quant à son auteur, un problème le tourmentait : — qui lui donnait mauvaise conscience et l'empêchait d'écrire de la fiction. Son roman s'achève sur un cri rauque : le jazz. Dans son autobiographie *L'Âge d'homme* dont l'impudeur renouvelle le genre tant son cœur est mis à nu, Michel Leiris donne libre cours à sa passion pour la création des nègres : « ... le jazz fut un signe de ralliement, un étendard orgiaque, aux couleurs du moment. Il agissait magiquement.... » C'est sur cette magie comparée à une véritable possession que les pages se referment. Secrète nostalgie contenant assez de relents de civilisation mortelle. Réflexion sur la condition nègre et la décomposition d'une bourgeoisie blanche. Il n'y a pas d'Occident à ce monde.

Le lieu du dé-lire

Si pour James Wait, « le racisme emporte tout » (p. 135) c'est mot pour mot « l'humour qui emporte tout » dans le roman de Dany Laferrière[23], *Comment faire l'amour avec un nègre sans se fatiguer*, (VLB, 1985).

L'art de la lecture est un art qui se pratique à distance du livre comme objet et dans un certain éloignement de la glose autour d'un succès littéraire, traduit désormais en huit langues, en plus d'avoir été porté à l'écran. La relecture du premier roman de Laferrière confirme une fois de plus une telle assertion. Mauvaise foi, satire, insolence, caricature, telles furent les premières caractérisations de ce roman. Encore récemment, Maximilien Laroche[24] s'interrogeait sur la nature du livre :

> Est-ce un roman, un essai, une autobiographie ou même, à travers des confidences et des aveux plus ou moins travestis, une tentative de confessions ou de mémoires lyriques ?...

Laroche loue l'ironie, la désinvolture, la fantaisie et même une bonne dose de cynisme et conclut en qualifiant le texte de postmoderne, « cocktail d'éléments assez hétérodoxes ». Définition suffisamment floue dans ce contexte qui indique surtout que l'on abandonne la volonté de système et le maniérisme esthétisant, sorte de vulgate de l'écriture baroque.

Cela m'évitera d'ajouter une seule ligne de trop pour m'appesantir sur des éléments plus discrets de ce roman ; en maintenant la distinction entre les faits textuels et l'autobiographie. Dès l'abord, le paratexte contient un épigraphe dont le caractère insolite laisse stupéfait, en dépit de son historicité :

> « Le nègre est un meuble. » Code Noir, art. 1, 1685.

Selon Chamoiseau[25] *et al.* « dans la conquête des îles par les Français il convient de distinguer deux périodes : celle du défrichement (1625-1685) et celle de la plantation cannière, dite habitation, qui va de 1685 (date de publication du fameux Code Noir) à 1950 » (date de l'apparition du mot postmoderne). Pour ces mêmes auteurs, le Code Noir (presque littérature, tellement la rencontre du juridique et de l'innommable résonnera insolite) interdira, entre autres, les relations sexuelles entre Blancs et Noirs. Une autre règle du Code Noir, œuvre de Colbert, interdisait d'apprendre à lire et à écrire aux Nègres. On verra dès lors comment la machine textuelle de Laferrière, en posant l'affirmation princeps, cherchera à en transgresser l'énoncé et ses sous-entendus, à le prendre à la lettre, c'est-à-dire en pleine métonymie.

Si le nègre est un meuble, quel est donc ce meuble ? Dans le livre, trône un objet fétiche, un meuble célèbre et célébré : le

Divan, sur lequel est allongé en permanence l'alter ego du narrateur : — Bouba, griot sorti tout droit de l'imaginaire africain. Si le narrateur-écrivain personnifie la vitesse, l'accélération, le zapping affectif et la dérive sexuelle, Bouba lui incarne l'immeuble, l'immobilité, la lenteur. Du Divan, écrit dans tout le texte avec une lettre majuscule, Bouba commente le monde. Grand prêtre de l'oralité il mélange, par un art de la formule poétique, du paradoxe, de l'humour en demi-teinte, *Totem et Tabou* au Coran. Difficile pour lui de départager Freud et le Prophète. À ce compte Bouba est-il un Bookman, c'est-à-dire un homme du livre ou est-il un marabout, c'est-à-dire un homme de pouvoir ? En tout cas il est l'homme de parole, celui qui prête la sienne au narrateur, celui qui interprète :

> Veille donc ô Muhammad, car eux aussi veillent et épient les événements. (Laferrière, 1985, p. 12)

Et le narrateur éberlué de s'avouer vaincu :

> et me voici avalé, annihilé, bu, digéré, mastiqué par le Niagara de mots débités, dans un délire fantastique, le tout secoué de pulsations jazzées au rythme des incantations des sourates (*Ibid.*, p. 13)

C'est que Bouba lui fait la lecture hachée et syncopée des pages 68 et 69 de *Totem et Tabou.*

Ces indications précises de pages concernent les coutumes du tabou se rapportant au deuil chez les primitifs. « Ce tabou consiste dans l'interdiction de prononcer le nom du mort[26]. » (Freud, 1983, p. 68). Plus loin, Freud souligne l'importance que la pensée inconsciente attribue au nom propre, valeur essentielle qui ne fait qu'un avec la personne. Or, quel est ce mort dont il ne faut pas prononcer le nom ? Lacan dans un aphorisme célèbre nous indique une fois pour toutes que ce mort est le père. Nom-du-père : expression devenue en langue lacanienne à côté d'une autre formule célèbre « je jaspine et je père-sévère » : « les non-dupes errent ». En effet, l'errance, l'absence du père constituent pour les écrivains de la migration les deux pôles (présence-absence) autour desquels se reconstruit l'identité. Restauration paradoxale au cours de laquelle la culture d'origine est exclue. Père dont on ne parle plus la langue et à qui il ne faut plus ressembler :

> Père, c'est terminé la ressemblance avec toi. Je me suis défiguré. (Antonio d'Alfonso, *L'Autre rive*, VLB, 1989)

Quant au Divan — véritable protagoniste du récit — il représente le lieu du terrible, la dive ou le tombeau. À l'opposé de la superficialité existentielle du narrateur, le meuble mène à l'exploration des profondeurs, à la découverte de l'hétérogénéité en soi. Mourir à soi pour renaître à l'autre : telle est la véritable renaissance que propose le roman : — si bien qu'il obéit à une logique du montage, du renvoi et du tressage, de la surface qui lutte contre la fausse profondeur. Le Divan est le lieu par excellence du dé-lire, de l'association libre, la part la plus disséminée de la parole.

En réalité, dans ce texte où prolifèrent des doubles, la lenteur du personnage africain permet d'introduire dans le rythme du récit une dimension diachronique, d'antagoniser le tachypsychisme du narrateur, mitraillant son roman sur la Remington 22, vieille relique couverte de gloire littéraire, véritable machine textuelle. Par sa position en faveur de la parole, c'est-à-dire de l'oralité, le griot soumet l'autorité auctoriale — qui se trouve ainsi bafouée — à une ironique déconstruction. Dans ce roman, l'humour se déhanche et nous distrait de réalités définitivement refusées : technologies outrancières, progrès aliénant, barbarie politique. Un retour à certaines traditions semble s'y confirmer : un certain réalisme romanesque (retour au référent), une prédominance de l'autobiographie (retour au narcissisme, à l'ego, au désengagement), une vague religiosité (les sourates du Coran) et même une forme de passéisme (retour à l'Histoire avec le Code Noir). Toutes choses contre lesquelles Charles Olson, l'inventeur de la condition postmoderne s'élevait.... Le livre se contente-t-il de servir de scénario à un bon film?... Non, c'est en instituant le mouvement et la vélocité comme mode d'être et de penser, et d'écrire, en étant à la lettre « meuble », c'est-à-dire mobile, léger, que Dany Laferrière transforme l'énergie motrice de l'écriture en prosodie propulsive. Avatar postmoderne de la furie littéraire et de la soumission du désir à la Loi.

Krik ? Krak ! Le conte revu comme tropisme[27]

> Writing was as forbidden as dark rouge on the cheeks or a first date before eighteen. It was an act of indolence, something to be done in a corner when you would have been learning to cook. (*Krik ? Krak !*, p. 219)

Après son premier roman aussitôt consacré, *Breath, Eyes and Memory*, Edwidge Danticat emprunte à l'oraliture haïtienne son canevas pour *Krik ? Krak !*[28] (finaliste du National Book Award 1995), une série de neuf nouvelles, suivie d'un épilogue.

Le premier sentiment qui s'empare du lecteur est la surprise, l'étonnement tant cette formule couvre une écriture éminemment intimiste et féminine, évoquant tant par le style que par la structure elliptique, l'omission de ponctuation, les tropismes de Sarraute. Mais contrairement aux menus de grands drames d'une *Enfance* où le lien matrifocal est central, contrairement à ces sursauts de l'âme et à ces petites crises nécessaires au désenchantement et à la maturation de l'individu, Danticat s'approprie cette même écriture humble et sincère, peu travaillée pourrait-on croire au premier abord, pour témoigner du vécu quotidien haïtien, ponctué d'horreurs et de violations des droits humains, poussant à l'exil, sur des bateaux de fortune, des milliers de réfugiés politiques ou économiques.

Nous sommes à mille lieues de Compè lapin, de Bouqui et de Ti Jean. Seule l'épilogue, *Women like us*, éclaire le rapport entre la formule liminaire du conte et les nouvelles. Symboliquement, *Women like us* est une réflexion métafictionnelle, expliquant la venue à l'écriture dans une rêverie qui évoque celle d'autres femmes écrivaines (P. Marshall qui la première parla des « Kitchen Poets », A. Walker).

Il y a d'abord son principe même de répétition. L'incipit « You remember thinking while braiding your hair that you look a lot like your mother » revient au début et à l'intérieur de chaque séquence et souligne en même temps à quel point raconter est inséparable, naturel, inhérent aux Antillais. Raconter a des valeurs ludiques, didactiques, poétiques et politiques. La pose accentue ce que cette tradition transmet de génération en génération ; elle a valeur thérapeutique. Elle est parole nourricière. La mère conte pendant qu'elle natte les cheveux de sa fille, prenant soin d'elle physiquement et psychiquement. Les paroles évanescentes accompagnent les gestes ménagers, les mouvements des dix doigts des mains. Danticat cramponne ses doigts autour de la plume : « You have always had ten fingers. They curse you each time you force them around the contours of a pen. No, women like you don't write. [...] And this was your testament to the way that these women lived and died and lived again. » (p. 224)

Les contes sont et doivent aujourd'hui être remplacés par ces impressions et ces témoignages émouvants sur un présent terrible, un régime politique atroce, et une île carcérale, qui pousse à fuir, à marronner. La ressemblance entre mère et fille, entre raconter et écrire est patente, nous apprend l'écrivaine, en dépit des nombreuses dissemblances auxquelles oblige un contexte changé et changeant. Un nouveau texte pour un nouveau contexte, ou pour une Haïti qui, paradoxalement, n'en finit pas de rester pareille, incapable de sortir de l'impasse.

Children of the Sea

Rien n'y change, comme l'apprend dans l'incipit de son écriture solitaire la fille : « Haïti est comme tu l'as laissé. Yes, just the way you left it. Bullets day and night. Same hole, same everything. I'm tired of the whole mess.» (p. 4) Alors que la formule Krik krak a valeur pratique, vérifiant si l'audience est bien là, assoiffée de paroles, elle introduit cette fois-ci un récit bien moins populaire et folklorique. Dès la première nouvelle intitulée *Children of the Sea,* le lecteur est enfermé à son tour dans une parole sans destinateur, dans plutôt deux paroles solitaires qui ne se communiquent pas. Deux récits qui ne peuvent entrer en contact, l'un étant détruit, mais qui nous parvient par le truchement de la littérature, l'autre interrompu par son énonciatrice au moment où celle-ci apprend la nouvelle funeste qu'un bateau a coulé au large des Bahamas. Le lecteur sait ce que la narratrice devine : son compagnon est devenu, comme la fille nouveau-née, issue d'un viol, un enfant de la mer.

Deux récits s'enchevêtrent, deux destins tragiques se mêlent et s'interchangent dans ce premier petit récit de *Krik? Krak!*

Au récit de voyage de l'homme, parti sur un bateau avec d'autres Haïtiens, correspond celui de son amie, de sa fiancée, restée au pays où elle doit souffrir, impuissante, les brutalités, les exactions, les arrestations des tontons macoutes, ainsi que l'autorité d'un père qui refuse le jeune étudiant comme ami de sa fille.

Récit de Middle Passage

Tout rappelle le voyage transatlantique des ancêtres africains déportés au Nouveau Monde. Les conditions de voyage, le manque d'hygiène, la promiscuité sont intolérables. Seule l'écriture servira de refuge pour le narrateur désespéré. Or, le bateau prenant l'eau, il est demandé à chacun de le délester. Lui jettera son carnet, se consolant d'avoir exprimé son amour pour celle restée dans l'île. Au cours de ce funeste voyage, le narrateur raconte aussi comment une jeune fille accouche d'un bébé mort qu'elle va, après une longue résistance, jeter par-dessus bord, et sauter après le petit corps mauve.

Tropismes haïtiens

Pour l'écriture diariste de la narratrice, la typographie change. Caractère gras et omission des majuscules en tête des phrases.

La narratrice, elle, nous apprend de manière bien plus fragmentée et décousue, la situation de plus en plus invivable de l'île. Elle entre en conflit avec le père qui, pour sauver sa fille, refuse d'aider la voisine dont le fils a été assassiné. Seule la tête du jeune homme a été rendue à la mère. Celle-ci est forcée de livrer les noms de ses amies, torturées et peut-être même assassinées.

La fin du monologue intérieur de chacun est tragique. La dernière trace du narrateur étant la dernière phrase annotée, et en théorie, introuvable et illisible, puisqu'il a jeté dans l'eau, dans un ultime sursaut pour survivre et faire survivre les autres, son carnet. « Maybe the sea is endless, like my love for you » et « I know that even there my love for you will live, if I become too a child of the sea. »

Danticat fait entrer dans un cadre hyper-traditionnel des moments d'écriture qui chacun illumine un aspect de la réalité haïtienne, que ce soit sur place ou ailleurs.

1937

Le motif du voyage, associé au marronnage, revient dans cette deuxième fable maternelle où, une fois de plus, il s'agit d'enfermement, de l'impossibilité d'échapper à un univers carcéral. La narratrice est la fille d'une Haïtienne emprisonnée sous le prétexte de sorcellerie. Étrangère revenue de l'autre côté de l'île, de ce pays ennemi ancestral, où Trujillo fit exterminer en 1937 tous les Haïtiens, elle tente de guérir un bébé et, n'y arrivant pas, est inculpée de « lougarou ». L'ère du soupçon conduit à l'arrestation de beaucoup d'innocents qui n'ont qu'un seul remède : le vol hors de l'enfer, la fuite hors de la prison, soit littéralement, soit dans l'imaginaire.

La mère, ayant vu sa propre mère noyée avec beaucoup d'autres dans la rivière Massacre, croit au vol. N'a-t-elle pas jailli de l'eau meurtrière pour aborder l'autre rive, l'haïtienne et y accoucher d'une fille juste à temps, la narratrice prenant la place de la femme disparue, de la mère assassinée ?

La foi est un sérieux rempart contre tout système carcéral, contre tout régime atroce, même si l'on connaît son mécanisme truqué. Ainsi du fétiche religieux, la Madonna se met à pleurer. La rivière Massacre est devenue un lieu de pèlerinage. La mère s'y rend avec d'autres mères pareillement accompagnées de leur filles, car :

> We were all daughters of that river, which has taken our, others from us. Our mothers were the ashes and we were the light. Our mothers were the embers and we were the sparks. Our mothers were the flames and we were the blaze. We came from the bottom of that river where the blood never stops flowing, where my mother's dive toward life — her swim among all those bodies slaughtered in flight — gave her those wings of flame. (p. 41)

Dorsinville, Laferrière, Danticat. Chaque écrivain, aux prises avec sa propre mythologie, œuvre pour forger des espaces postnationaux au sein du mouvement général des peuples. Espaces que j'appellerais métasporiques : méta-sporiques au lieu de dia-sporiques : à partir des contradictions liées à l'origine, au sexe et à la différence.

Chapitre III
Dialogues

14 Le XXIe siècle sera tribal

Pourquoi Tribu ?

Parce que la poésie m'annonce que le XXIe siècle sera tribal. La modernité d'hier, celle du XXe siècle, fut marquée par le culte de la vitesse, le mirage du nouveau et la surconsommation des objets et des êtres. Mais l'avenir sera une quête des valeurs communautaires, du respect des différences et de la conservation. C'est cela, la modernité, et là réside la dimension prophétique de la poésie. Elle est un remède contre l'aphasie de ce siècle, un discours aristocratique qui n'a pas à justifier son origine.

Il faut combattre le repliement frileux sur des valeurs individuelles, sur la culture narcissique qui n'aboutit qu'à distendre les liens entre les êtres humains. Les fureurs de ce siècle, c'est moins le sida que l'intolérance, qui prend la forme d'exclusion des minorités selon le sexe, l'âge ou la race. D'où la nécessité de laisser surgir ces différentes traces que nous portons en nous.

Mais vous êtes un déraciné...

Je suis un homme de déracinement comme valeur de la modernité. Le déracinement autorise l'hybridation, le métissage et l'ouverture aux autres. Mais si je suis un homme de déracinement, je suis en revanche tout à fait enraciné dans les traces et dans la mythologie de la culture. Mon déracinement est un bel exil : j'ai dans la tête une île errante et c'est un dé qui roule vers sa chance.

L'homme du XXe siècle, qui a perdu ses repères, se trouve abandonné sur le chemin d'une errance sans fin. Notre maladie est que nous ne savons pas mourir. L'occultation de la mort reste typique de l'époque contemporaine. Les Anciens, eux, savaient mourir. D'ailleurs, les Grecs avaient un seul et même terme pour désigner l'humain et le mortel.

Ils sont plutôt rares les médecins écrivains...

Oui et c'est dommage. Il n'est pas bon pour la littérature qu'elle se nourrisse des seules œuvres des littéraires. Je fais le vœu que les médecins retrouvent le chemin de l'écrit et renouent avec cette tradition immortelle, car je demeure bouleversé par la maladie de la mort, cet immense abandon des hommes et des femmes devant la certitude de la mort.

En quoi la médecine peut-elle nourrir la poésie ?

En ce que la longue fréquentation de la souffrance permet une bonne connaissance de l'âme humaine et de sa puissance. Les médecins ont beaucoup apporté à la littérature depuis toujours : Dante, Céline, André Breton, Aragon, Georges Duhamel, Jacques Ferron, Gottfried Benn, poète expressionniste allemand, et Carlos Williams, pape de la *beat generation*, qui a fait 35 000 accouchements. La culture littéraire est un capital moral qu'on aurait tort de brader. Il faut revenir aux Anciens qui connaissaient la maladie de la mort dans ses moindres recoins. Car aujourd'hui, en dépit de toute notre technicité, on se pose encore les mêmes questions qu'autrefois.

Pour être crédible, le discours scientifique exige un mécanisme de contrôle, une constante humilité devant le réel. La poésie, elle, se moque bien d'être crédible. Bien que l'expérience poétique soit imaginaire, la poésie est le lieu des plus hautes expériences morales, le lieu d'exercice de la liberté et du plaisir d'écrire. En outre, la main du poète est sans dureté. Son rire ne cache pas de morsure, car c'est un homme de médiation entre le mystère du monde, le langage et le genre humain.

Écrivez-vous régulièrement ?

Je me suis aménagé une véranda peuplée d'hibiscus et de bougainvilliers. J'ai reproduit les jardins de mon enfance, car avec le nom que je porte, je n'ai de comptes à rendre qu'aux fleurs. Et c'est là, le soir venu, que je traduis ce qui me vient du grand large.

Écrivez-vous à l'ordinateur ?

J'écris à la main, avec un stylographe à plume. L'odeur sensuelle de l'encre et le glissement de la pointe sur le papier me rappellent mon enfance. Mon désir d'écrire vient d'ailleurs tout droit de cette période de ma vie. L'ordinateur vient en second, pour la retranscription. Mais je trouve qu'il y a là un dévergondage, une lubricité électronique que je déplore.

Vous fixez-vous des échéances ?

Un poète n'a jamais d'échéance. Il n'y a en lui que l'urgence d'écrire. Écrire est un rituel et il faut s'imposer une discipline, sinon on n'aboutit à rien. Il faut faire son galop d'essai tous les jours, avoir sur soi un carnet où noter les sentiments fugaces. Le désir d'écrire est différent de la volonté de publier. On ne publie un texte qu'une fois abouti. Et c'est le temps qui, par sa patine et le recul qu'elle autorise, nous permet d'y voir clair. Mais comment savoir ? Je crois qu'il faut respecter l'intensité du premier jet et se débarrasser de la naïveté de croire que tout est facile.

Selon vous, le poète est condamné à réinventer le langage. Pourquoi ?

Le poète lutte contre l'affadissement de la langue, car le langage poétique est un nectar que l'on doit distiller avec les mots de tous les jours. Le poète énonce, affirme, organise une vision nouvelle, fantasmatique de l'univers. Sa seule contrainte, c'est le code du langage, des mots déjà chargés d'un sens. Aussi vaste que soit sa virtuosité syntaxique et lexicale, le poète fait face au déjà-vu et au déjà-entendu des mots. C'est pourquoi il doit réinventer le langage.

Mais tout poème est inachevé jusqu'à ce qu'il tombe dans les bras de quelqu'un d'autre. La grande finalité de l'acte d'écrire c'est qu'un seul lecteur puisse se rappeler un seul vers et l'aimer. Pour paraphraser Mallarmé, je dirais que la vie est faite pour qu'on en fasse un beau livre. C'est la malédiction de l'écrivain.

* *
*

« J'écris pour ceux qui espèrent échapper au tombeau. »

Le poète est un traître, selon vous. Pourquoi ?

Parce que sans cesse il trahit son origine, son sexe, sa race, voire son identité. La seule chose à laquelle il reste fidèle, c'est l'écriture. Mais elle est pour lui déracinement, perte des certitudes, car quiconque entre dans l'écriture se rend très vite compte que toutes les langues maternelles sont abusives, et qu'il s'agit d'oser transgresser et la langue et le sens. Écrire est essentiellement une perte d'identité : le poète se dépossède de son œuvre en faveur d'un autre. Son double, c'est le lecteur, par qui un simple empilement de feuilles sèches se vivifie et devient livre. La poésie révèle à la lumière la part d'ombre en chacun de nous et la part d'ombre dans le langage. Bien sûr, le poète utilise des mots connus de tous, mais les associations qu'il tisse créent un circuit imaginaire qui ouvre le sens, le déterritorialise. Avant tout, la poésie est promenade. Sensible aux événements, aux visages et aux objets, aux aguets sans jamais s'attacher, le poète est un promeneur.

Et où vos pas vous guident-ils ?

Vers la savane. Quiconque s'y engage le fait seul, la poussière sur la peau et le vent aux oreilles. Au Sahel, des Touaregs m'ont dit : « Vous êtes poète ? Alors, nous vous connaissons ! » Cette scène m'a ému. Les bergers-poètes conduisent leurs troupeaux parmi les rivières et les pierres. Là, et seulement là, hors de toute présence humaine, ils disent leur poésie au vent, aux arbres et aux galets. Mais d'abord à leur troupeau. Je m'en suis étonné : comment savez-vous que vos bergers sont poètes, puisque vous ne les entendez jamais ? Le vent, m'a-t-on répondu, se charge de rapporter leur parole au village. Ainsi la voix du poète parvient à ses semblables, par le truchement d'un tiers, du vent ou du hasard, ou encore par le bruit de la ville, car à Montréal même, la savane a son métro !

Espace métaphorique, poétique plutôt que géographique, la savane est le lieu où l'on m'a confirmé dans ma condition de traître et de poète. La poésie est tout proche de la révélation d'Hölderlin, proche aussi de l'aphasie de Rimbaud, qui est allé se taire dans la savane.

Le poète, une Pythie moderne ?

Oui. Le poète offre des événements dont la lumière ne peut venir que d'un oracle : c'est lui qu'on devrait consulter. Le poète est mystagogue, initiateur, interprète. Par le rythme, les sauts, les anacoluthes, les ellipses, les incises, une succession de ruptures et de liens, un rythme, la poésie atteint sa plus grande efficacité, orale et sensuelle. Celle que je tente d'écrire, par le truchement du rythme, essaie de retrouver l'oralité et ce qui est de plus ancien en nous : le Verbe. Et c'est la parole qui touche et émeut. Si de plus elle permet une fluidité des émotions, alors elle guérit. Parler, c'est paraboler, et c'est la part la plus disséminée de l'homme, celle qu'il habite le moins.

Quand les mots, belles et étranges sonorités, deviennent objets de cérémonie, le livre apparaît ou disparaît dans la savane comme un fétiche. Un livre est parcouru par un fleuve cérémoniel, mais les mots se lèvent de la page seulement quand l'encre est sèche. Et un poème n'est jamais terminé jusqu'à ce qu'il tombe dans les bras d'autrui. Même fermé, le livre fait effet. Il demeure, mais moi, je m'en irai.

Le poète, tel Œdipe, va vers le savoir. C'est là en essence un exercice de dépersonnalisation, non une entreprise de maîtrise. Savoir est le plus émouvant des désirs. Mais un désir toujours inaccessible, car la vérité poétique est une vérité d'être et d'émotion, reliée à un visage, à un objet, voire à un autre corps. Je me méfie de la transe et de l'inspiration. Je suis pour la littérature froide : je suis homme de travail, soucieux à l'excès des effets de langage. J'ai beaucoup travaillé dans *Savanes* les amplifications sonores et les redondances phonétiques. Ainsi naît une cascade de rythme, où le lecteur, mis en état de poésie, se laisse ensevelir.

Vos propres enfants vous nomment « le papa-poète ». Est-ce la consécration ?

Oui, car je veux leur transmettre ma passion de la langue, en en faisant une exigence morale. Le rapport à la langue n'est-il pas d'abord le rapport à la vie ? Mon désir d'écrire vient de mes pères. L'un d'eux, un parrain, m'a cogné dans les oreilles dès ma prime enfance les premières lignes de *Salammbô*, le roman de Flaubert : « C'était à Mégara, faubourg de Carthage, dans les jardins d'Hamilcar... » Mille fois cette phrase m'a été répétée comme représentant le paradigme de l'ordre et de la perfection. Et mon propre père, déjà virtuose de l'imparfait du subjonctif, aimait plus que tout dans la langue française cette forme la plus exquise qui s'appelle le plus-que-parfait.

Le poète est un promeneur, je vous le redirai. Tout est pour lui prétexte à événement esthétique. La femme notamment, car j'affirme que la femme est l'autre nation. « Je est un autre », disait Rimbaud. Me permettra-t-il d'ajouter : « Je n'est pas un autre. Je est une femme » ? Visage sans nom qui porte le nom de toutes, j'écris pour ceux qui espèrent échapper au tombeau. Après avoir aimé le plus de femmes qu'il est possible. Avant de crever pour rien !

La poésie est résistance aussi...

C'est même l'une de ses fonctions les plus nobles. Et au moment où nous vivons les absolutismes identitaires et les résurgences d'une barbarie que nous pensions à jamais éteinte — Rwanda, Bosnie, Afrique du Sud — c'est à l'intérieur de la littérature que s'épanouissent, outre les formes les plus neuves de la résistance à la barbarie, les éléments d'une éthique et d'une esthétique. La littérature est le dernier rempart contre l'identité. Elle nous apprend qu'il est impossible d'achever l'adéquation de soi à soi, que nous devons vivre avec le manque, avec l'autre en soi, avec la faille, la culpabilité et avec le remords. Cette adéquation de soi à soi, qui s'appelle la pureté, n'existe que dans le fantasme. Or, métis du ciel et de la terre, nous sommes tous impurs et devons l'assumer. Mais assez d'actes, plus de mots!

Vous suspectez une conjuration contre l'écrit. Qui veut la mort des mots?

J'entrevois en fait une conjuration contre l'imaginaire, que les formes audiovisuelles ont la prétention de capter. Fatale et scandaleuse illusion! Je m'insurge contre la vampirisation de l'imaginaire par l'image: elle ne fait que le réduire à un point focal. La poésie, en revanche, autorise de multiples associations: la métaphore ou la métonymie multiplie l'imaginaire.

Mais l'ennemi est à l'intérieur. Prenez notre langue quotidienne, celle de nos hôpitaux: elle est désexualisée, territoire sans odeur, sans saveur et sans substance. C'est un abâtardissement et je m'en offusque, car la langue française, si belle et si féconde, ne s'honore aucunement de ces tentatives de la castrer de ses mots les plus vifs, qui ont une étymologie, c'est-à-dire une histoire. Nommer un sourd un « malentendant », ou un aveugle un « non-voyant », c'est vouloir nier l'étymologie, donc l'origine, comme si tout naissait ici et maintenant. Il s'agit là d'une volonté de faire du sujet un être irresponsable de sa souffrance et qui ne pourra plus faire une histoire de ses manques. Il sera alors plus facile de l'appeler usager, bénéficiaire, mais surtout pas malade. C'est une dénégation, voire un déni du sujet, de l'amputer ainsi de sa maladie, qui bien souvent donnait sens à sa vie. Cette langue technocratique médite une œuvre infâme: l'anéantissement de la sensibilité et de l'émotion humaines!

Cette dérive linguistique n'est pas innocente, car elle sous-entend des fantasmes de maîtrise et de structuration, de domination et de sujétion. Dire centre hospitalier au lieu d'hôpital revient à diluer le sens du mot hôpital, tout chargé d'histoire et d'affectivité. L'épithète affadit : y recourir, c'est déjà enlever la substance. Ce charabia insensé est une profanation. Mais il ne durera pas, car il est inauthentique et n'a pas prise sur le réel. L'humain ne s'y reconnaîtra pas. Construit sur un imaginaire issu d'une volonté de puissance, il s'effondrera de lui-même.

Quelle est la vraie tragédie de la langue ?

C'est de vouloir la réduire à sa seule fonction de communication ! On oublie ainsi que le mot est d'abord un événement moral : il désigne, il dit pour, il indique l'absence. Le mot, c'est l'étrangeté. Les beaux romans sont écrits dans une sorte de langue étrangère, disait Proust. Et le vrai désespoir du poète, c'est qu'il ne peut que s'approcher du mot. Au mieux, il n'en voit que l'ombre et sa vérité lui reste inaccessible. Mais le mot lui apprend la fuite irrésistible des choses et des êtres. Oui vraiment, la poésie est oraculaire, elle est l'autre langue dans la langue !

Je prétends encore que le XXIe siècle sera tribal. Mais j'ajoute que l'Occident n'est nulle part et que ce siècle verra sa fin. Notre époque est celle d'un arasement, une tentative de niveler les cultures qui sont autres. Mais les peuples d'aujourd'hui n'acceptent pas l'indignité. J'observe que la grande frayeur de l'Occident représente un déni des origines. Mais dans la savane, j'ai retrouvé les miennes.

* *
*

« Avoir 40 ans, c'est l'héroïsme assumé. »

Comment s'est passée votre crise de la quarantaine ?

Je l'ai vécue vers la fin de la trentaine, sans doute à cause d'une pseudo-précocité de l'enfance, qui m'a poursuivi tout au long de ma vie. Alors, il m'a été donné d'affronter mon rêve : allais-je être seulement médecin ou allais-je donner forme à la figure qui me hantait : la poésie ? Allais-je avoir suffisamment de courage pour affronter à la fois la souffrance du médecin et la création du poète ? Je me sentais trop faible pour remplir cette double exigence. Alors, j'ai trouvé ressource auprès de figures tutélaires de grands médecins écrivains. Et je cite Miguel Torga, ORL, l'un des plus grands écrivains portugais du XXe siècle, de regrettée mémoire, mais aussi Céline, Gottfried Benn, Jacques Ferron, J. S. Alexis. Ces figures m'ont aidé à ramasser mes billes, à ne pas avoir peur. Il s'agit de mentors dont j'avais travaillé l'œuvre avec passion, pour y puiser des ressources au moment crucial de publier. Le temps de la publication fut pour moi une crise majeure. L'un des tournants du mitan de ma vie. La crise de la quarantaine, je la vois comme un sursis. Couvant depuis longtemps, elle éclate alors que l'individu est censé correspondre à une certaine idée de la sérénité. Voyez tout le romantisme entourant l'homme de 40 ans aux tempes grisonnantes, au moment où la maturité semble annoncer un début de sagesse. Mais un face à face s'impose alors. Une rencontre entre la figure censée être sereine, sans doute idéalisée, et l'être souffrant, réel.

Le médecin est-il mieux préparé que d'autres à cette rencontre ?

Non, car sa longue fréquentation de la souffrance d'autrui a souvent pour effet d'occulter la sienne. Il est investi d'un espoir majeur : guérir l'autre de sa maladie, car, bien sûr, la maladie appartient à l'autre. S'il échoue, il touche alors à cette impossibilité d'annoncer l'immortalité aux hommes. Mais la meilleure façon de ne pas être victime de la maladie, la plus rusée peut-être, c'est d'être médecin. On se place ainsi hors du champ de la maladie. Une occasion inespérée de repousser indéfiniment la question essentielle de la perte finale, irreprésentable qui s'appelle la mort. Censé être en pleine possession de tous ses moyens, et imbu de son immortalité, le médecin se rend soudain compte de la finitude. Lors de la crise de la quarantaine, surgit la faille : la souffrance même du médecin souvent tue. Soudain, la projection de sa maladie sur l'autre ne suffit plus à l'immuniser. Le médecin redevient simple mortel, se découvre partie de la communauté humaine. Le côtoiement de la maladie ne serait-il qu'un mode d'immunisation fantasmé par le médecin pour échapper à l'épreuve ?

Et la médecine, une forme de vaccination contre la mort ?

Oui, mais la crise de la quarantaine vient mettre fin à cette immunité. Elle survient quand ce mode de vaccination, illusoire puisque imaginaire, devient inefficace contre le débordement de la détresse personnelle. Malaise que la fuite dans le travail ou la toxicomanie, à travers des pertes successives non réparées, le divorce notamment, ne peuvent plus endiguer. La quarantaine, c'est aussi le deuil de la jeunesse. L'homme, ou la femme, de cet âge se retrouve sans repère et sans remède. Ses parents vont l'abandonner. Ce sentiment appréhendé d'être abandonné doit bien compter pour quelque chose dans la crise de la quarantaine. Le décès ou la maladie qui frappent les parents, c'est la mort annoncée. Et c'est aussi le début furtif, discret, des pertes physiologiques. Ce lent délabrement du corps, on peut le combattre en prenant soin de soi. Reste que je ne peux plus faire de ski après une nuit de garde. C'est frustrant. Cet élan vital qui butte sur ses limites peut en déraciner plusieurs.

Ne peut-on pas alors relancer la roue?

L'élan vital peut effectivement réapparaître vers 40 ans. Cette seconde enfance du génie qu'appelait Goethe de ses vœux. Il revit dans l'adéquation qui s'établit entre ses moyens personnels, qui culminent alors, et la réalisation de son rêve. Plus que jamais, on est à même d'embrigader ses moyens au profit du rêve qui nous habite depuis longtemps. Avoir 40 ans, c'est pouvoir compter sur cette énergie mise à la disposition du rêve, ce rêve sublimement nécessaire, qui porte un homme au-delà de ses propres capacités. Et c'est la jouvence retrouvée, le fantasme de l'homme ou de la femme de laisser une œuvre impérissable. Avoir 40 ans, c'est l'âge de l'héroïsme assumé. On peut enfin être un héros, celui qui affronte sa destinée. Le temps est venu d'être ce héros que nous étions dans l'enfance pour nos parents. Mais de le devenir pour soi-même, de l'assumer avec jubilation. L'assomption jubilatoire d'être enfin le héros de sa propre vie. Cet élan vital peut, sans grandiosité, marquer le temps où l'on passe de ce que l'on fut pour d'autres à ce qu'il nous reste à être pour nous-mêmes. Et ce qu'il reste à faire s'appelle l'œuvre d'une vie. Elle se nourrit de solitude et du deuil de tout ce que la jeunesse représente comme immortalité.

Dans votre cycle de vie de médecin, quelle période a été la plus rude?

La résidence peut-être. C'est le moment de la négation absolue de soi-même au profit d'un surcroît de connaissances pour le patient. Le tout vécu dans une sourde tentative, empreinte d'une agressivité vitale, de dépasser le maître, le patron. À cette époque, on est dépossédé de son moi, d'où de gravissimes conséquences sur les relations conjugales et interpersonnelles. Ces conflits vont être reportés, comme l'impôt. La résidence constitue à mes yeux un impôt affectif dont le paiement est reporté vers 40 ans. La quarantaine est dénuement, maigreur, dépouillement. C'est l'intime nudité avec soi-même. Les contraintes sociales et le désir de l'autre (aliénation parentale, sociale, conjugale) en prennent alors pour leur rhume. Il s'agit de retrouver son désir à soi, d'en mesurer les formes les plus illusoires. Puis, soit d'y renoncer, soit d'y accéder. Si l'on n'y prend garde, on peut s'organiser pour que la crise se prolonge, en vue d'éviter les choix douloureux. Mais, tôt ou tard, le temps nous rejoint.

La quarantaine serait-elle une mise en quarantaine?

Absolument. On met en quarantaine l'homme porteur de maladie, le chien atteint de rage, parce qu'ils peuvent tous deux apporter le désastre. Ils sont danger pour la santé. Or, la crise de la quarantaine n'annonce-t-elle pas la finitude, une mise en quarantaine psychologique de l'individu par lui-même, qui se dit alors: « Me voici désormais porteur de finitude? » La crise de la quarantaine correspond à cette rencontre avec la notion d'échéance. Certains médecins vivront une mise en quarantaine réelle, par l'alcool ou la toxicomanie. C'est pour eux une forclusion momentanée de l'élan vital, où l'individu en situation de crise s'observe pour voir comment il va réintégrer le courant de la vie. La quarantaine est une ordalie.

Comme une initiation?

Oui, comme le vœu mystique du disciple au Moyen Âge. La quarantaine est le nécessaire arraisonnement du navire de sa vie par la vie elle-même. Désormais, on n'est plus porté que par soi. Si l'on veut progresser, il ne nous reste plus qu'à pagayer seul, de nos bras frêles. Mais l'œuvre d'une vie, ce qu'il nous reste à faire, est intimement personnel. Certains hommes vont refonder une famille, épouser une femme plus jeune. Ce surcroît de fécondité me paraît être leur seule issue pour éviter l'infarctus. La quarantaine est le deuil réel de l'enfance. Le vrai déracinement.

Comment retrouver d'autres racines?

En investissant son rêve d'enfance. En le pistant, comme un chasseur piste sa proie. Oui, ce rêve, il faut le talonner, quitte à prendre des détours, jusque, et y compris, dans la savane. La crise de la quarantaine est un sabbat du cœur, un désir de désert. Elle est riche d'un silence porteur, pour quiconque sait écouter et s'écouter.

La tradition fait du désert le repaire des démons... Celui de midi?

Sans doute. Je ne puis m'empêcher d'évoquer Jean-Baptiste, le prophète. Il se retira 40 jours dans le désert. Ce retrait est symbolique d'une annonciation, d'une prophétie faite à soi dans une profonde intimité, où l'homme devient son propre dieu. Disons, son demi-dieu. L'homme de 40 ans est non seulement le héros d'une vie, mais aussi son propre dieu. C'est dans le sable et les pierres, dans les ronces et la nudité du désert qu'il se découvre demi-dieu. Alors, dans un profond recueillement, il s'adressera à lui-même. Il pourra enfin assumer librement sa destinée, celle qu'il aura tracée. Sans doute ce dénuement est-il une forme de pureté. Sans doute aussi cette aridité est-elle le dernier avatar du sacré qu'il nous reste.

15

La génération des écrivains québécois d'origine haïtienne

Pouvez-vous décrire la scène littéraire contemporaine des écrivains haïtiens du Canada? Existe-t-il une « communauté littéraire » haïtienne au Canada?

Joël Des Rosiers : La présence de la littérature haïtienne au Canada remonte aussi loin que 1908, date à laquelle le commandant Bénito Sylvain publie *L'Étoile africaine* à Montréal. Un quart de siècle plus tard en 1933, les écrivains Dominique Hyppolite et Dantès Bellegarde prononcent des conférences au Québec, invités par La Société littéraire du Canada français et par l'ACFAS (Association Canadienne-Française pour l'Avancement des Sciences). Dantès Bellegarde publie par la suite quelques ouvrages au Québec dont *La Résistance haïtienne* tandis que Dominique Hyppolite est fait docteur *honoris causa* de l'Université Laval. Ces échanges s'établirent sur la base de la doctrine de la latinité en Amérique ; la province de Québec et la république d'Haïti étaient alors considérées comme les centres de culture et de langue française en Amérique. Les Canadiens français se considéraient chargés d'une mission civilisatrice et surtout les mieux préparés pour l'expansion de la foi et du progrès en Haïti. Dès 1929, le critique Louis Dantin propose dans son ouvrage intitulé *Poètes de l'Amérique française* une étude de *L'Anthologie des poètes haïtiens* de Louis Morpeau. Par exemple la mission que la poétesse québécoise Reine Malouin réalisa en 1938, au nom d'un groupe d'intellectuels, auprès des poètes et romanciers haïtiens de la Génération de la Ronde s'inscrit dans ce courant de sympathie. En 1954, le prêtre Hubert Papailler (Jean-Hubert Mariamour) publie un recueil de poèmes et quelques années plus tard, Roberto Wilson signe le premier téléthéâtre au Québec.

Cependant l'histoire des écrivains noirs au Canada français est bien plus longue. Elle remonte au début de la colonisation, dès le XVIIe siècle, avec la présence d'un aventurier nommé Mathieu Da Costa. À ce moment-là, en 1606, Samuel de Champlain était accompagné par le géographe et linguiste Da Costa durant son voyage en Nouvelle-France. Da Costa qui parlait la langue des Indiens Micmac agissait comme traducteur et écrivain pour l'expédition de Champlain. C'est pourquoi l'histoire des écrivains noirs du Canada est aussi ancienne que la fondation du pays lui-même.

L'histoire contemporaine de la communauté littéraire haïtienne au Canada remonte au début des années soixante, avec l'arrivée des premiers écrivains chassés par la dictature de Duvalier. Ces écrivains étaient membres du groupe Haïti littéraire: Anthony Phelps, Roland Morisseau, Serge Legagneur, René Philoctète et Gérard Étienne. Émile Ollivier après un séjour en France rejoignit le groupe. Porteurs d'une certaine forme de militantisme littéraire, ils établirent des échanges fructueux avec les poètes nationalistes du Québec dont Gaston Miron et Paul Chamberland, parmi d'autres. Miron connaissait déjà l'œuvre de René Depestre. C'était l'époque des récitals de poésie au Perchoir d'Haïti, un café littéraire où se rencontraient tous ces écrivains. Les poètes haïtiens apportèrent avec eux *Le Cahier d'un retour au pays natal* d'Aimé Césaire. C'est ainsi que la littérature de la Caraïbe fut connue au Québec et exerça une influence décisive sur le développement de la poésie québécoise, à l'heure du réveil des nationalités.

Vingt ans plus tard nous assistons à l'émergence d'une nouvelle génération d'écrivains qui ont été élevés au Québec ou qui y sont nés, de Dany Laferrière à Stanley Péan. Nous sommes bien une demi-douzaine. C'est une génération qui « née sous le soleil » essaie désormais de réinventer la froidure. Chacun de nous, bien sûr, avec sa propre sensibilité. Pour certains la mémoire d'Haïti est encore très vive, tandis que pour d'autres elle ressemble de plus en plus à une fiction, laissant à l'imaginaire de l'écrivain le jeu avec d'intenses contradictions — c'est-à-dire comment être absolument moderne lorsqu'on est issu d'une société de tradition. Notre écriture, je pense, est déchirée entre exil et déracinement. Si l'exil devient de plus en plus un fantasme, cela ne pourra qu'aboutir à une médiocre production littéraire. En revanche le déracinement, sans doute pénible à supporter sur les plans personnel et symbolique, permet de créer des œuvres marquées par la nostalgie et le deuil. C'est sans doute le prix à payer pour la naissance d'une identité haïtienne-québécoise qui intègre les traces de l'origine mais a fini de pleurer sur elle. Le problème est de construire une postmodernité qui ne soit pas soumise à la vitesse et à la consommation, mais ouverte aux mythologies culturelles enfouies : — en quête non du pays d'origine mais de l'imaginaire de tous les lieux où nous avons vécu et où nous vivons.

Pouvez-vous élaborer davantage sur la place de cette nouvelle génération d'écrivains haïtiens du Canada ?

Tout d'abord la différence entre cette génération et la précédente en est une d'historique. Nous avons grandi au Québec de sorte que notre relation affective avec cette terre est marquée de cette imprégnation-là. En 1986 je déclarais : « Nous sommes des Québécois pure laine crépue. » Ce qui signifie que le Québec est aussi notre pays. Nés ici ou arrivés à un âge précoce, nous avons vécu une expérience de la migration et de la société canadienne totalement différente de ceux qui immigrèrent adultes. Nous réclamons notre appartenance au Québec autant que nos racines dans la Caraïbe : nous sommes haïtiens québécois. Nous n'entendons pas être des citoyens de seconde classe au Québec.

Notre travail consiste à tester les identités. Notre identité est plurielle. C'est au Québec que nous avons appris à connaître les œuvres de la littérature haïtienne mais c'est la littérature du Québec que nous apprenions au collège. Autant dire l'effort héroïque, à l'époque, nécessaire pour lire les œuvres de la Caraïbe. C'était particulièrement laborieux, en raison de la grande difficulté d'obtenir des livres haïtiens durant les années soixante-dix. Pour nous, un moyen privilégié de tester les identités est le travail sur le langage. Manière de traduire les émotions et de jouer avec la langue comme s'il s'agissait d'un jouet ; nous jouons avec les mots avec autant de plaisir que de cruauté. Nous sommes également sensibles à la pluralité des langages que représente la Francophonie. Résultat imprévu de la colonisation. Cela signifie que nous sommes capables de dire dans une langue étrangère ce qui dans notre langue maternelle est déjà étrange. Nous testons également les frontières mouvantes de la culture et c'est pourquoi j'insiste sur la présence du Noir Mathieu Da Costa au Québec d'aussi loin que 1606. Ce fait historique ajoute une légitimité à notre présence au Québec en tant qu'écrivains.

Finalement nous sommes concernés par l'altérité. S'il est important de parler de l'Autre, il l'est davantage de parler de l'Autre en soi. La tentation est donc forte de manipuler différentes langues : — français, créole, anglais, etc. Mélangées dans un mythe babélien des origines et celui d'un avenir libre de toutes traditions. Sans doute sommes-nous parvenus à la fin des coïncidences entre langage, culture et identité. Pour nous, toute langue est teintée d'étrangeté ; et notre art poétique cherche à se distancier de toute velléité d'enracinement. Pour nous, le déracinement est une valeur positive ; porteuse de modernité, parce qu'il autorise l'hybridation, l'hétérogénéité, l'ouverture à l'Autre en soi. Le problème de cette fin de siècle est moins lié au sida qu'à l'intolérance et à l'exclusion basée sur le sexe ou la race. Aussi est-il nécessaire de désenfouir ces différentes traces que nous portons en nous.

Car nous savons que l'origine est une maison vide, nous cherchons partout cette origine et nous ne trouvons que la fameuse métaphore du vide. Nous sommes terrifiés par la maison de l'origine, là où nous avons passé les heures idylliques de l'enfance, parce que tout ce que nous y trouvons est le vide. Nous sommes nostalgiques. Moi-même, je suis un homme déraciné, par contre je suis profondément enraciné dans les mythologies de la culture. Mon déracinement est un bel exil. « J'ai dans la tête une île errante et c'est un dé qui roule vers la chance ». Ce vers de Bernard Noël suggère à chaque écrivain l'expérience de l'exil intérieur.

D'autres différences existent entre la poésie de ma génération et l'écriture de nos prédécesseurs. C'est aussi l'opinion des critiques. Les critiques québécois notamment suggèrent que notre langage est sophistiqué, trop « beau », trop « haut » de sorte que l'écriture est trop concernée par elle-même. Comme nous vivons au Québec et que nous lisons les auteurs — par exemple, je pratique volontiers les œuvres de François Charron — je suis frappé par le retour au lyrisme et à l'intime. Aujourd'hui la poésie au Québec subit beaucoup moins l'influence des poètes nationalistes et formalistes. Le temps des théories générales est bien révolu ; la tendance est à l'affirmation individualiste, au repli sur soi à défaut des grandes causes comme la terre ou la nation. Notre écriture est donc « contaminée »/ influencée par ce qui s'écrit au Québec. Progressivement nous devenons nous aussi des poètes de l'intime et du peu. Dans les pays de traditions comme les nôtres, les poètes sont habituellement des gens ordinaires, des individus qui parlent pour ceux qui ne le peuvent pas. Aimé Césaire écrivit : « Je serai la bouche de ceux qui n'ont pas de bouche. »

C'est encore notre devoir et une de nos fonctions. Mais,

j'espère qu'il y a place pour autre chose. La tradition de la Caraïbe est celle d'une parole poétique proférée au nom de la communauté. Mais je vis dans un environnement urbain et le titre de mon premier recueil *Métropolis Opéra* n'est point une coïncidence; ce recueil est une part de mon expérience au Québec. Sans doute nous nous distançons de la tradition et de Césaire: — nous nous risquons à mettre en scène nos vies intimes.

Comment avez vous écrit Tribu*? Que vouliez-vous dire dans ce livre?*

J'ai commencé à écrire *Tribu* en 1987. Au départ, le titre était *Technique,* pour montrer que la poésie est d'abord un travail sur le langage. Je garde mes distances de la *transe* et de *l'inspiration.* Je tiens mes distances de mes émotions les plus visibles: ni pathos, ni considérations douloureuses sur quelle part de moi-même j'explore dans le livre. Je dis oui à l'idéal d'une littérature « froide » aussi peu inspirée et enthousiaste que possible. J'adhère totalement à l'idée que le langage est un instrument de révélation dont nous ignorons la portée. La littérature, je pense, est créée à partir de la distance la plus grande de la transe, du sentiment ou de n'importe quelle profonde vérité.

Tribu m'est venu de cette façon, comme une sorte de technique. Je ne me sentais ni chaud ni froid; j'étais aux commandes. J'ai commencé à écrire ce texte en avion, à mon retour de Paris — c'est pourquoi le premier poème est intitulé *Paris, l'amante indigène* — et pendant que j'écrivais ce livre qui évoque aussi une histoire d'amour, j'ai réalisé que toutes nos histoires d'amour sont des histoires de réparation. Le voyage par Paris était en fait une escale qui m'avait conduit au Sahel — région située au sud du Maroc, entre l'Algérie, la Mauritanie et le Sénégal — là, j'ai passé plusieurs semaines avec les Touaregs.

Je vivais depuis quelque temps parmi la tribu, lorsque me

fut racontée une merveilleuse légende que je vous rapporte. Il y a en Érythrée des bergers qui déclament, seuls et à haute voix, pour leurs troupeaux. Ils ne récitent leurs poèmes seulement s'il n'y a personne aux alentours ; ils s'adressent uniquement à la végétation et aux bêtes et ils deviennent silencieux en présence des humains. Pour moi, ces bergers représentent la figure la plus tragique du poète. Ils portent sur leurs lèvres les mots de la tribu, mais se refusent à toute promiscuité avec elle. J'étais bouleversé par cette tradition et par ces voix dans la forêt, au crépuscule qui parlent au vent. Ainsi *Tribu* est un hommage aux Touaregs qui m'ont accueilli dans leur désert du Sahel, au milieu d'une oasis appelée Aït-Bouka. J'évoque mon séjour dans cette petite communauté dans la troisième partie du recueil « Désir de désert ».

Vous devez vous rappeler que je suis en même temps un homme fasciné par l'à-venir, libre de toute tradition. Je suis un homme du bel aujourd'hui. Pourtant, je reste fasciné par ces mythologies culturelles, sublimes, parce qu'elles sont profondément enfouies en moi. *Tribu* fut donc écrit parce que je ressentais qu'au-delà des rituels amoureux persistait une tradition beaucoup plus vaste et à laquelle j'appartenais. C'est pour cela que le XXIe siècle sera tribal.

Écoutez les nouvelles internationales et vous entendrez des noms de peuples en arme dont vous ignoriez jusqu'à l'existence. Les petites nations se mettent debout et disent non : elles n'acceptent plus le bulldozer de l'américanisation. Nous n'acceptons plus la disparition de nos cultures. Je crois que le XXIe siècle sera fascinant. Loin de subir les vastes complexes géopolitiques qui aujourd'hui s'écroulent, les petites nations émergent. Cela permettra aux différents peuples du monde de manifester davantage de respect pour leurs propres cultures et de réclamer d'autrui le même respect. Un meilleur contact entre les êtres humains sera possible et le monde sera sans doute plus beau.

16 Du Niger au Niagara

Tribune Juive : J'aimerais d'abord que tu me dises qui est au juste Joël Des Rosiers ?

Joël Des Rosiers : Je suis un métis. Je crois que je suis un homme de l'île, c'est-à-dire un homme de la singularité. Être né sur une île, c'est à la fois un privilège et un appel toujours redondant, inlassable, vers l'ailleurs. Je crois que l'homme des îles, c'est un homme de passage. Je suis né aux Cayes, en Haïti, c'est-à-dire dans la Méditerranée américaine. Les cayes sont des îles basses, bancs de corail, des rochers qui découvrent la mer. Ce sont des lieux fragiles, amphibies comme pour souligner ma double appartenance à la terre et à l'eau. Je crois savoir que les ancêtres de ma famille maternelle étaient originaires de la Guadeloupe, de la Martinique. Mon aïeul Nicolas Malet, colon révolutionnaire devenu officier de l'armée indigène, a signé la Proclamation de l'Indépendance d'Haïti en 1804. Après l'enfance caraïbe, j'ai immigré au Québec au début des années soixante avec mes parents, puis je suis parti à 18 ans faire mes études en France, à Strasbourg. Je suis métis, je suis Africain, Européen, Amérindien. Quant à ma part africaine, selon toute vraisemblance, je pourrais être le fils d'une peuhle et d'un mandingue. Tous ces fragments font de moi un homme d'Amérique, continent de toutes les migrations. L'Amérique est l'Afrique promise. Peu d'espaces culturels dans le monde portent en eux autant de mémoires.

Tu es chirurgien, n'est-ce pas?

J'ai appris à guérir avec mes mains, comme le chaman. La chirurgie, qui est une école de modestie, m'a révélé les splendeurs et les misères du corps humain. Sans doute, cette connaissance du corps, à la fois chair et symbole, influe-t-elle sur mon écriture. En tout cas, elle m'autorise une intimité et une mise en œuvre du sensible. La science offre à l'écrivain ses multiples métaphores en repoussant indéfiniment les fantasmes de maîtrise. La science est la poésie des faits. À cet égard, j'ai utilisé dans mon dernier recueil, *Savanes*, une métaphore scientifique, celle du chaos, théorie de l'ordre, du désordre et des systèmes instables. En effet, l'archipel des Antilles épouse l'ordre géographique d'îles dont la superficie décroît régulièrement, de Cuba à la Grenade. J'eus la vision d'une formidable redondance, chaque île n'étant que la répétition d'une autre. Le désordre s'était introduit dans l'archipel par la violence coloniale, par la sexualité qui déborde cette violence, par l'infinie variété de la couleur de la peau qui en résulte. J'ai rêvé mes livres et en particulier *Savanes* comme une traversée des origines. Il ne s'agit pas de la reconstruction d'un passé révolu mais bien d'une mémoire, c'est-à-dire d'un consentement au présent, par le biais du travail de la langue.

Comment concilies-tu l'écriture, la poésie, avec ta pratique de la médecine?

Je dirais que c'est un bonheur d'être médecin parce qu'il s'agit de soulager la souffrance humaine. Aujourd'hui, bien sûr, la technicité l'emporte sur l'art de soulager et cela n'est pas si mal. Elle n'élimine pas pourtant le besoin d'une écoute. Je n'ai pas envie de parler en « langue de bois », mais les médecins ont acquis, certains d'entre eux du moins, pas tous, par une longue fréquentation de la souffrance, une grande connaissance des êtres humains. Ils regardent la vie avec les deux yeux ; aussi observent-ils les hommes dans tout leur relief. Un œil regarde la vie, l'autre scrute la mort.

Je t'ai déjà entendu dire que « les peuples manquaient de poésie ». N'est-ce pas là une coquetterie de ta part à une époque où certaines populations ne jouissent même pas de la liberté d'exister ? Qu'entendais-tu par là ?

Je pense à Saint-John Perse, le grand poète de la Guadeloupe, prix Nobel de la littérature qui, dans *Amers,* célèbre « la grande phrase prise au peuple », un vers qui m'a toujours inspiré. « Les peuples manquent de poésie, de même nous, les poètes, nous manquons au peuple » dit le poème. En réalité, ce que je cherche à exprimer par là, c'est ce double manque. La poésie est la grande phrase prise au peuple. Je crois que le rôle des poètes, c'est de redonner cette phrase au peuple, mais transfigurée, dénaturée, presque méconnaissable. En un mot, étrangère. Proust disait que les beaux livres sont écrits dans une sorte de langue étrangère.

Tu dis « nous, les poètes, manquons au peuple ». Pourtant, voilà très exactement cinq ans, Salman Rushdie était pris à partie par les intégristes musulmans parce que sa plume leur déplaisait et, aujourd'hui même, cinq ans plus tard à la même date, le 13 février 1994, une écrivaine du Bangladesh est elle aussi condamnée à être privée de sa liberté. On lui a pris ce matin son passeport, lui reprochant d'avoir suivi les traces de Rushdie. Que t'inspire cette censure dans le monde musulman intégriste ?

C'est un problème fondamental que tu poses là, c'est-à-dire la question du même et de l'identité. Je crois que c'est un symptôme de la permanence des identités et du retour en force des hypertrophies identitaires. Ce que la *fatwa* de Khomeyni, condamnant Salman Rushdie, représente, c'est l'exclusion d'un homme qui est un hybride lui-même. Il faut savoir que Rushdie est un Indo-Pakistanais élevé à Londres, occidentalisé donc... Pourtant, c'est finalement au sein de la littérature que s'inventent contre le mal, outre les formes les plus neuves et les plus hardies de la résistance, les éléments à la fois d'une éthique et d'une esthétique, nous préservant des fantasmes de pureté, des boursouflures identitaires et des ghettoïsations.

Rushdie, puisque nous parlons de lui et qu'il sert un peu de toile de fond à notre conversation, a posé cette pertinente question: « Que vaut la parole de l'écrivain aujourd'hui ? » Que répondrais-tu à cela ?

Si la langue est maternelle, abusive, la parole, elle, est paternelle, symbolique. Nous sommes tributaires de cette différence des sexes et du désir qui est celui d'un autre. Quand un écrivain ouvre la bouche, sa bouche est pleine du sexe de la langue. La parole de l'écrivain, homme ou femme, vaut la part d'ombres qu'elle révèle à la lumière. Parole qui se rend compte que plus vous connaissez le monde, plus vous vous rendez compte de son infinitude et de la nécessité de la littérature à la fois comme puissance de cohésion, mais surtout comme puissance convulsive. Porter le langage comme dans une forge à ses limites, en créant de nouvelles associations de mots et de syntaxes, c'est proposer de nouvelles visions du monde, de nouvelles sonorités pour dire le monde. Assez d'actes ! Encore plus de mots ! La parole de l'écrivain, c'est une pulsion d'écrire qui cherche à déconstruire la langue maternelle. Sans doute, est-ce la langue qui est la mère perdue.

Qu'entends-tu par « parole paternelle » ? Quels sont ses rapports avec la langue maternelle, naturelle, nationale ? Ton propos est-il de dire que la langue maternelle est incestueuse ?

La parole paternelle, c'est Moïse l'Africain sur le Sinaï, c'est le travail d'écriture, c'est-à-dire la soumission à la Loi, tout en la transgressant par moments, brisant les Tables. La mère étant le porte-parole de l'*infans*, celui qui ne parle pas, la langue maternelle est abusive parce que la mère en quelque sorte « parle » son enfant. La distance par rapport à la langue maternelle devient salutaire, alors que c'est du côté du père que va s'établir la question du travail de la langue, de la soumission à la grammaire, à la syntaxe, à la Loi. C'est le début de l'étrangeté en toute langue. Les pères demeurent toujours des étrangers. Ils nous donnent leur nom et nous n'y pouvons rien.

La poésie n'est pas le genre littéraire le plus facile. Pourquoi ce choix plutôt que, par exemple, l'écriture romanesque ?

C'est une question essentielle. Pourquoi la poésie ? Poésie étymologiquement signifie « créer ». La *poiésis* est une création. Je crois que tous les romanciers eux-mêmes ont commencé par écrire de la poésie parce que la poésie, c'est le langage de la médiation entre l'homme, les motivations inconscientes qui l'animent et la nature. Le poète est un homme de luminescences. C'est un homme qui est au carrefour de ces différentes pulsions, au carrefour du cosmos, du genre humain et du langage. Pourquoi la poésie ? Parce qu'elle est l'autre langue dans la langue. C'est un devenir.

Tu es un poète extrêmement attentif aux effets de langage. Tes trois ouvrages laissent entrevoir un homme, un auteur qui n'asphyxie pas la poésie. Quel est ton secret ?

C'est la jubilation. C'est vrai que je suis attentif au langage. Je crois que cela doit venir du rapport que j'avais avec mes pères. Mon père était un homme de grammaire et il le demeure encore, un virtuose de l'imparfait du subjonctif. C'est d'abord à cette aune qu'il juge les êtres humains. Pour lui, un être humain est celui qui est capable de jongler avec les différentes nuances de l'imparfait et du plus-que-parfait; il m'a donné la passion du plus-que-parfait. Quelle audace! Ma passion des lettres date de la petite enfance…

Est-ce qu'on peut dire que tu es un poète « négropolitain » ?

Qui a connoté ce mot ?… C'est un terme qu'on emploie aux Antilles françaises pour désigner les Antillais nés en France. Un peu comme les Beurs.

Je l'ai utilisé à la façon de Manu Dibango qui a dit de lui qu'il était un « afropolitain ». Est-ce que « afropolitain » t'apparaît moins péjoratif que « négropolitain » ?

Je n'en sais rien. Ainsi que je le mentionnais, aux Antilles, le terme est utilisé dans un sens précis. J'ai donc de la difficulté à me reconnaître dans une telle signification.

Je voudrais aborder un sujet qui me tient beaucoup à cœur, à savoir ce que recèle pour toi le mot « nègre ». Au Québec, lorsque le roman de Dany Laferrière, Comment faire l'amour avec un Nègre sans se fatiguer ?, *a été publié, le mot « nègre » a dérangé. Aux États-Unis, on a même voulu censurer son livre pour cette raison. Dany Laferrière, en quelque sorte, a donc ennobli ce mot en l'utilisant comme titre de roman. Par ailleurs, quand j'ai rencontré des Noirs vivant en France et que j'ai prononcé ce mot, ils se sont montrés vexés. Où est-ce que tu te situes par rapport à cette notion ?*

Pour moi, c'est le plus beau mot de la terre. C'est un mot très fort, synonyme de fécondité… Il faut savoir d'où vient ce mot. Historiquement, selon Hérodote, les quadriges et les chariots tirés par les chevaux ont été introduits en Grèce à partir de la Libye. Dès le VIIIe siècle avant Jésus-Christ, Africains et

Grecs étaient alliés comme peuples de la Mer. La Libye de l'Antiquité comprenait le Maghreb actuel, le Sahara et les territoires plus au sud. Le lien entre les chevaux et les chariots d'une part et les sources et les oasis d'autre part peut être découvert à partir des noms donnés aux envahisseurs nomades venus des territoires plus au sud. Une des plus célèbres tribus de cavaliers nomades utilisant les chariots s'appelait les Nigritai ou Nigritiens. La beauté de leur peau noire est à l'origine du mot latin « niger », lequel étymologiquement a donné naissance au mot « negro » retrouvé en espagnol, en portugais et en anglais, puis au mot français « nègre ». Le nom des Nigritai lui-même vient d'une racine sémitique, « ngr », qui signifie « l'eau qui coule dans le sable » — tu sais qu'en hébreu, il n'y a pas de voyelle. Cette racine est à l'origine des toponymes Gar, Ger, Nagar, et notamment du nom du fleuve Niger qui, de manière mystérieuse, coule d'ouest en est, en s'éloignant de l'Atlantique pour former un delta dans le désert. En français, le mot « nager » a la même racine, tout comme le fleuve Niagara (ngr) dont les eaux coulant éternellement sont symbole de fécondité.

Donc « nègre » ne signifie pas « noir », mais bien « l'eau qui coule dans le sable ». Les hommes et les femmes africains se sont donné ce nom très tôt par identification à la fécondité, au principe de l'eau. Encore aujourd'hui, des centaines de jeunes couples vont aux chutes Niagara sans savoir pourquoi ; symboliquement, il s'agit de retrouver un mythe très ancien correspondant à la fécondité. Tous les hommes de la terre sont nègres. Le mot « nègre » est le plus beau mot de la terre.

J'aimerais maintenant conclure comme nous avons commencé et boucler la boucle avec la poésie. Joël Des Rosiers, au sein des foules, quelle est la vérité de ton langage poétique ?

Mon dernier livre s'appelle *Savanes*! C'est une chronique d'amour et de sable. Je dirais que ma vérité poétique est une vérité d'être, une vérité émotionnelle, le contact brut avec un objet ou une chose, voire avec un autre être. Le poète est un homme semblable à un enfant, il crée un monde imaginaire auquel il attribue une grande charge émotionnelle. Il rêve et son rêve et sa poésie sont témoins d'un destin. Je crois que l'essentiel de cette vérité m'est à moi-même inaccessible.

Donc, tu es toujours à la recherche de la vérité...

Savoir est le plus émouvant des désirs.

17 Vertiges et quêtes d'absolu

Parole des origines générées par un univers multiple où végétalité et spatialité se recoupent. La mémoire, telle une blessure sacrée, revient avec vertiges et quêtes d'absolu. « Le corps de l'écrivain explose de douleur », le poète confie aux lecteurs la « science du poème ».

Le Nouvelliste : Savanes ! *Joël Des Rosiers, tu nous reviens avec ce recueil du nom de* Savanes. *Explique à nos lecteurs le projet de ce livre, ton troisième recueil de poèmes.*

Joël Des Rosiers : Je ne puis expliquer. Je ne puis que me soumettre à un « obéir » fanatique au langage, que transmettre ma foi en ses audaces. Je parle : on parle. Je parle mais cela ne veut rien dire. La dénégation est à l'origine du langage. « Ne pas » est le signe de la vérité. La foi en l'absolu du langage ne reconnaît aucune religion révélée, aucune autorité grammaticale. Mes premières patries ont été des livres. Cette foi surplombe la chasse forcenée du signifiant à travers les signes.

Après cette mise en situation, veux-tu bien nous parler du livre ?

Tu m'y forces, à parler de la chose, cet objet perdu, ce fétiche qui apparaît pour aussitôt disparaître dans la savane ! La langue est cet objet perdu. *Savanes* est né d'une intuition contemplative : *savana*, belle et étrange sonorité — violence de la littérature ici offerte aux écrivains ; mot de la langue en nous perdue des Taïnos, premiers naturels de l'île d'Haïti. Eux-mêmes venus d'ailleurs, c'est-à-dire du bassin de l'Orénoque, c'est-à-dire d'une étrangeté.

Ta langue justement ! Et ce qui est intéressant, c'est qu'elle est déterminée au niveau de cet objet perdu... Elle est tantôt murmure, tantôt hiéroglyphes, tantôt patois... Cet étirement vers le non sens (qui serait l'absolu du langage) n'est-il pas déjà classique ?

L'écrivain est un preux, un hardi. Toute œuvre littéraire se situe dans un autre temps. N'écrivant pas dans le présent de sa parole, le littéraire parle au passé, parle au futur. La poésie ou l'abîme sous le logos : la poésie est ce duel du sens toujours inédit entre deux mots qui se rencontrent pour la première fois. Seule la poésie peut faire scintiller le logos jusqu'au sublime. Je suis un autre et cet autre m'est hostile, voilà une des modalités de la violence psychique. Rimbaud, dans la lettre dite du Voyant va s'écrier : « Je n'est pas un autre », c'est la seconde forme de la violence poétique que de reconnaître l'étranger en soi. Si la littérature a le pouvoir de refaire un monde neuf avec une vieille langue, cela ne va pas sans blesser les images. Cela s'appelle la chair des livres, le corps de l'œuvre est le corps même de l'écrivain. Faut-il reconnaître notre dette envers les classiques. J'honore, j'admire, j'aime les poètes latins parce qu'ils avaient la culture d'un autre peuple : la Grèce. Ils s'appelaient *trio corda* : les hommes aux trois cœurs. Sénèque, Martial, Lucain, Térence étaient des métèques ibères, africains, gaulois. La modernité des classiques correspond précisément à cette altérité qui est aussi la nôtre.

Cette polyphonie est révélatrice de la passion des origines mais elle témoigne aussi de la nouvelle mythologie du métissage, de l'écriture croisée... Comment te situes-tu pas rapport à ce nouveau mode ?

Métis est le fils de Zeus et d'Ouranos, assassiné par son père parce qu'il lui avait dérobé la connaissance. Cet infanticide est la punition réservée à toutes les figures de l'instable, de l'interlope, de l'hybride. À tout ce qui pourrait ressembler à de la toute-puissance. Pourtant l'homme ne peut se représenter le monde que sur ses bords, zone de frontière, lieu de passage, frange et limite. Comme l'écrit Fancis Ponge :

> le sol enfonce ses couteaux terreux dans la mer.

Côtes, anses, baies, cayes, îles, archipels... nous permettent de trouver notre salut en nous dépouillant toujours plus de nos illusions. Personne ne sort vivant de la masse marine, c'est-à-dire de la totalité.

En effet le langage littéraire ne s'épanouit que dans cette intersection, ce croisement, cette dissection : le langage littéraire est le langage nu jusqu'à l'effroi de reconnaître la part de l'autre en nous. Toute identité est une illusion dont nous gardons la fragile nécessité, sous l'empire du corps sexué ou de la couleur de la peau. L'identité n'est-elle pas l'objet perdu, quelque chose de fragile avec lequel il nous faut sans cesse négocier.

Il y aussi dans Savanes *cette langue des origines faite de figures souvent heureuses, d'inventions verbales... Pourtant certaines fois, on a l'impression que ce livre est un grand exercice de rhétorique où la mémoire vient comme une greffe. Dis-moi Joël où est, dans cet espace intermédiaire, la parole du griot ?*

La rhétorique est une vieille tradition de lettrés. Elles est marginale, récalcitrante, persécutée, hostile aux prétentions de l'idéologie. Le rhéteur est paradoxalement un athée du langage, un mystique laïque. L'expression « c'est un littéraire » est souvent une insulte parce que le rhéteur prend le mot à la lettre dans une formidable passion pour la matérialité du langage. Cruse au XVIIe siècle en a tiré sa docte ignorance.

L'écrivain est le Balthazar abyssin qui suit l'étoile absente du langage. Devant la foule étêtée, l'écrivain habite le sanctuaire de l'absence. Griot ? On a vu ce que cela a donné. Ceux qui parlent pour ceux qui n'ont pas de bouche ! De quel droit ? J'habite cette mélancolie. Dans chacun des poèmes, il y a un « lecteur à ensevelir dans le livre ». Il y a un nom propre enseveli dans le poème si on fait attention à la sonorité et au mot, on peut repérer le nom propre apocryphe caché sous forme d'anagramme. Dans la poésie, ce mode de combinaisons offre un véritable champ de signifiants autant que le permettent les capacités associatives.

Le style (*stylus* en latin) est une prédation du langage. Transplantation, déplacement, déracinement passés de la biographie personnelle de l'écrivain au style, seront désormais les véritables prémisses esthétiques de la migration. Par exemple dans cet extrait de *Savanes* que je confie terrorisé à votre propre prédation, les fleurs apparaissent comme autant d'épiphanies du vivant avant l'enfer-mement :

toute lueur amuïe
sur les mimosas les seringas
et la mer sur eux nus bientôt renfermée
parurent les Indes au sacrum de l'amante
ses iles dolents
eux deux s'enlinceulent
la terre inconnue abolit le remous
très pures
infantes offrant le chagrin
dans le remugle des ports

Ta poésie, elle est généreuse en mots. Ici dans Savanes, *on a tout de suite cette sensation de la végétalité, de la spatialité, de la sexualité qui sont aussi des espaces de langage. Je voudrais savoir quel est ton rapport au mot.*

Latanier, acoma, gaïac, tamarinier acquièrent une dimension sacrale tant ils participent au rite de la vie et de la mort.

L'acte poétique est une hyperbole, une résurrection. Comment ne pas évoquer les métaphores que nous a si généreusement prêtées la botanique depuis le livre *De rerum natura* de Lucrèce jusqu'aux baudelairiennes *Fleurs du mal* sans oublier les *Pensées sauvages* de Lévi-Strauss et les *Rhizomes* de Deleuze. La végétalité est la sève. Tout se passe comme si le texte était une sécrétion du corps de l'écrivain. Quant à la spatialité, elle est au cœur même de la lutte impérialiste pour l'espace ; conquête de la terre inconnue, déplacement de populations entières d'un continent à l'autre, génocide des cultures, traite des hommes tels furent les éléments incontournables de notre histoire, la plantation devenant dès lors le lieu mythique de toutes les épreuves. Le livre occupe un espace dans le monde. Il reconquiert l'espace perdu. C'est pourquoi la forme matérielle du livre, telle qu'elle a été prévue ou rêvée par l'écrivain, importe presque autant que son contenu. Plus précisément, elle constitue l'accompagnement nécessaire de l'œuvre, son écrin adéquat.

Le mot toujours mallarméen, les mots de la tribu ! J'évoquais tantôt l'acte poétique comme une hyperbole, une anastase, une résurrection. *Hy* est le phonème érectile, *per* représente la paternité, *bole* évoque bien sûr « l'aboli bibelot d'inanité sonore » qui renvoie au vide et à la mort. Le mot contient une polyphonie, une surcharge en multiplie le sens, l'infinité de la tradition esthétique et religieuse qui précède le poète. Le mot est un déjà là condamnant le poète à la création syntaxique, c'est-à-dire « accroupi dans la connaissance de la phrase ».

Tu as en mémoire ce qui se fait en Haïti en littérature. Si oui, je voudrais savoir quels écrivains haïtiens t'ont marqué ou du moins se rapprochent le plus de ton « stylus ».

J'ai commenté dans des revues littéraires québécoises Jean Claude Fignolé pour *Les Possédés de la pleine lune* (Seuil, 1987) et l'œuvre de Frankétienne *Les Affres du défi* et *Fleurs d'insomnie* lors du congrès du CIEF tenu à Strasbourg. Et je fréquente volontiers le travail de Georges Castera, médecin et poète comme moi. Je déplore la faible diffusion des ouvrages haïtiens à l'étranger. Sans doute, un effort devrait être fait en ce sens.

J'avais découvert les gemmes de Lionel Trouillot lors de mon dernier passage : *Les Fous de Saint Antoine* et *Le Livre de Marie*. Gigi Dominique avec *Mémoire d'une amnésique* m'avait laissé une forte impression pour son écriture marquée par l'absence. Je lirai sans doute bientôt *Tante Résia et les dieux* de Yanick Lahens. L'essai posthume de Laraque *Pour la poésie* était d'une généreuse érudition.

Ces esthétiques constituent mon éloge du divers. Elles témoignent d'une vitalité de la parole littéraire.

Postface

À la recherche de « la langue en nous perdue[1] »

Dès le titre de son dernier recueil de poésie, *Savanes*, le poète nous entraîne dans un univers poétique métis. *Savanes*, nous confie Joël Des Rosiers en exergue du poème, trouve son origine étymologique dans la langue des Taïnos, les « premiers habitants d'Haïti » (p. 7), son île natale. Par ailleurs, le terme apparaît dès le XVIIe siècle en terre québécoise[2]. La marque du pluriel, logée silencieusement dans le titre, indique la double appartenance dans laquelle le poète se situe : d'une île à l'autre, d'une rive à l'autre, il nous livre sa quête intenable de l'origine. Quête intenable, d'autant plus vouée à l'échec qu'elle se fonde dans une identité aux multiples fragments, née de l'arrachement douloureux à la terre africaine, de la destruction des peuples précolombiens dans l'archipel des îles Caraïbes, et du viol européen perpétré sur des territoires, des corps et des langues. L'exil dans l'île. Le métissage s'est accompli dans la violence.

Savanes est, nul doute, l'ouvrage le plus complexe de Joël Des Rosiers, tout en étant plus émouvant, plus accessible aussi, que *Métropolis Opéra* et *Tribu*, textes prometteurs cependant, parfois désincarnés en comparaison de *Savanes*, mais où se profilent déjà la passion de la quête du/des sens et la recherche de la langue.

Savanes est un ouvrage polyphonique et polysémique où le corps et la langue se rencontrent dans un texte tissé de violences originelles, d'itinérances dans le temps et l'espace, et d'amours à la fois intenses et échoués, cette « chronique d'amour et de sable » dans laquelle le poète nous convie à le suivre.

Par ailleurs, comme dans les deux premiers recueils, l'écriture est à nouveau résolument postmoderne : chaque page nous offre un fragment de texte, une bribe de mémoire collective, un appel de voix africaines s'incrustant dans nos références occidentales, telle l'allusion à la diversité des mondes contenue dans le rappel de la présence d'Eurybiade chez Homère ou à la légende de la reine baoulé qui, pour sauver son royaume, dut sacrifier son enfant. Toujours, ces morceaux nous ramènent au « blanc » des origines (p. 86), au cordon coupé qui sépare la fondation du monde — collectif ou individuel — de son *télos*.

Le poème, composé de deux parties nommées, « L'origine du monde » et « Mémoire de la peau », enchevêtre la trajectoire individuelle du poète (la mémoire de la seconde mère, Vaïna, la nourricière ; les désirs et les colères, les peurs et les dégoûts) et la trajectoire collective, issue d'une violence chaotique, d'une explosion retombée dans l'éparpillement des lieux, métissée et hybride, migrante, insituable[3] enfin sur un axe unique. Il n'est pas question ici d'un trajet, mais plutôt de parcours rhizomiques[4]. A l'articulation de ces deux parcours qui se chevauchent et passent d'un champ à l'autre, le poète s'interroge sur la langue. Est-il possible pour celle-ci, pour celles-ci devrait-on dire, d'assurer des passerelles entre la littéralité qui relève du domaine maternel, une langue-membrane en quelque sorte, et la parole, symbolique, paternelle, scripturale, qui se donne naissance dans l'écriture et qui revendique ses filiations poétiques jusqu'au père des poètes, Homère[5].

L'origine du monde

La première partie du poème, « L'origine du monde, » s'ouvre en pleine mer, sur les fractures imposées par la traversée destructrice des navires de Christophe Colomb. Traversée parsemée de cadavres et de corps aux cris étouffés, autant d'îlots submergés devançant la déportation en terre encore étrangère. Perte de vie, perte de la parole. Si le poète énonce que « la distance avec la langue maternelle devient salutaire » parce qu'elle permet de revendiquer sa propre parole dans la rébellion, plutôt que d'être « parlé » par la mère[6], l'arrachement originel aux terres africaines et aux langues dites maternelles, se produisit plutôt à l'ombre de la métaphore du viol de la mère. Viol réel, perte réelle, dans l'arrachement du corps et de la peau toujours à imaginer. Lentement, le poète redonne forme à ces cris engloutis, et accomplit à son tour une autre traversée, en sens inverse, non plus sur les mers, mais dans les airs, celle du retour à l'île.

Le poème déroule l'épopée maritime qui mena à la fondation de la parole des îles. Épopée non linéaire et non traditionnelle, qui commence dans l'empire mandingue pour passer très vite aux bateaux de Colomb. Peut-être en hommage à Homère, hommage rendu aux traces africaines dans l'odyssée homérique, l'épopée est formulée sur le mode d'un chant funèbre. « L'origine du monde » décompose la traversée désastreuse, malade, des bateaux esclavagistes, tous portant des noms de femmes, devenues dans le texte des filles porteuses de mort (« aux lombes de Maria, » « infantes offrant le chagrin/dans le remugle des ports, » « Pinta/belle valetaille hurlant la déveine / les injures d'amour pendant l'amour, » « Niña/une nixe au seuil des noces de vérole/son corps dévoré déjà par les anges »).

« L'origine du monde » est en fait l'origine de la vie, issue de la rencontre de deux corps, pas forcément dans l'amour, l'origine de l'identité d'un monde nouveau et l'origine de la parole.

En ce qui concerne l'origine du monde nouveau, nouveau

pour les Occidentaux mais aussi pour les populations déplacées des territoires africains vers les îles caraïbes, si la paternité dans le texte équivaut à avoir un père étranger, un père symboliquement attaché du côté de la Loi et de l'Occident, un père arrivant d'ailleurs donc, en conquérant comme le sont les pères, la mère est aussi perçue comme une puissance. Dans un des passages les plus poétiques, elle est ainsi décrite : « sise là-haut au buisson d'acacias/ma mère en cris à la peau brune/ses mains précieuses à la fibre du chanvre vers elle/mère future des hommes/s'en vont les créances et les mauvaises nouvelles/muscles clamés d'amour aux portes des faubourgs/son périnée/semble une efflorescence/par le sombre détroit en charroi de lochies/hurleurs / fûmes-nous livrés à la dévoration des pères » (p. 22). La femme-mère dont le corps est inéluctable, sur le corps de laquelle l'H/histoire s'écrit et laisse des traces en forme de cris et de larmes, des fils aussi, figure ici entre Ève et Marie. Elle rappelle aussi Gaïa, la déesse Terre qui dut dissimuler sa progéniture aux yeux du père originel Archaos, jusqu'à sa castration. Ce n'est sans doute pas un hasard si ce mythe des origines, lié aussi à la création de l'archipel des îles grecques, apparaît dans un contexte où la fondation de l'archipel des Antilles sous domination occidentale est en train de s'accomplir dans le sang et la violence.

La généalogie poétique, inscrite en connaissance de cause dans un déroulement choisi, se réclame de ses pères aux voix dissidentes. L'hommage est d'abord rendu à Homère, le père des pères, chantre d'une autre origine, où déjà le poète se reconnaît, où la présence africaine est nommée : « lors/le dix-neuvième chant monte du livre/jusqu'aux autres chants dans une rumeur d'ébène/et qui accusent la mort/Homère/je songe à vous vieil quand d'Eurybiade/vous célébrâtes l'âme ces odes/très intérieures/Ulysse sonda la sienne en la tendresse/soudain rameutée d'Afrique/il y eut/pleine lune/dessus la Nubie » (p. 20-21). La présence d'Eurybiade dans l'*Odyssée*, livre originel, éclaire un autre « berceau » du monde, la Nubie.

La référence au *Cahier d'un retour au pays natal* d'Aimé Césaire, incontournable pour tout poète des îles, s'impose: « il n'y a place au cœur de l'homme/que pour un seul poème/ quelque jour/un écrivain criera îles/îles dans le là-bas/les mots ô mêmement les îles/demeurent invisibles» (p. 26); elle est présente sous forme d'hommages, dont celui-ci, qui se présente comme une recherche généalogique: «toi Césaire qui aimas Homère vieil/d'un *patrem habeo*/ainsi qu'enfant j'appris à t'aimer/la phrase a besoin du père» (p. 76). Elle apparaissait déjà, inévitable, dans *Métropolis Opéra* sous la forme de références subtiles et dans *Tribu*, entrant dans une intertextualité ouverte: «vers la crue des origines les Indes orphelines/de mon songe soleil cou coupé» («L'austérité de ton corps», p. 38). Dans *Savanes*, ce soleil décapité «tomba dans l'amour / l'amour nous tomba au ventre» (p. 29). Le retour à l'île natale n'exige pas seulement du poète qu'il soit prophète, mais aussi que les cris enfouis des êtres sacrifiés sur lesquels l'histoire antillaise est fondée émergent, et surtout, qu'ils soient entendus. Le «Au bout du petit matin» de Césaire devient «À l'extrême bout de la langue» pour exprimer la disparition de la langue maternelle, la nécessité d'un père poétique, ainsi que d'une femme aimée qui serait mère, amante, muse et lectrice, et surtout la fragmentation de l'âme caribéenne aux carrefours de trois mondes éclatés: l'Occident, l'Afrique, et l'archipel antillais, en mal de généalogie et d'archéologie.

Césaire n'est pas le seul père poétique dont se réclame Joël Des Rosiers, on peut y ajouter aussi le père blanc que fut Saint-John Perse, en particulier dans les allusions à la Désirade, et Jacques Stephen Alexis, poète dissident et martyr, dont le retour à l'île natale s'accomplit dans la mort.

L'origine de la vie passe par cet autre fondamental qu'est la femme, la soror/mater dolorosa, qui, en portant la vie, sème fatalement la mort, et le sait. Le rapport à la femme/mère/ amante apparaît dans une grande ambivalence.

Les mères originelles, porteuses aussi du sème du viol,

aiment malgré et contre elles. Le retour dans l'île ramène vers l'enfance et abolit la perte des origines : « les mains des femmes s'offrent à tes/cheveux comme avant » (p. 36), « le regard de marraine elle posa les doigts/sur tes larmes à dix ans » (p. 36). La co-mère calme et apaise. Mais l'association de la femme avec la mort reprend le dessus : « femmes de riz vos faces faillies de malheur/vos ventres fendus contre des chaises de gaïac/le stupre de la mort coule de vos trompes » (p. 38).

La première partie s'achève pourtant sur un cri d'amour qui se superpose aux cris des esclaves noyés, leur rendant la parole par le fait même du retour à l'île et de la perpétuation des survivants.

Mémoire de la peau

Les thèmes qui apparaissent dans la deuxième partie du poème ne peuvent être dissociés de ceux décrits au cours de « L'origine du monde ». Cependant, deux souffles émergent : le monde des mères et des femmes, et leur rapport à la parole poétique ; et le rapport qui existe entre langue et parole poétique. Le tout se déchiffre sur fond de détours, de retours, de plis et de déplis vers une histoire mémorielle tissée de moments symboliques. Ainsi le viol des mères demeure irréparable et inoubliable : « la douleur est immortelle » (p. 47). N'est-ce pas elle qui se situe à l'origine de ces premiers métissages ? Le corps est lui aussi incontournable. Il existe et son rapport avec la langue tient à la fois du sublime et de l'abject. On peut y voir, sur le plan métaphorique, la division du sémiotique (ou pré-linguistique, l'au-delà du langage) et du symbolique (les lois de la langue, l'ordre du discours et du surmoi paternel), telle que l'a théorisée Julia Kristeva[7].

L'enfant non né demeure a priori indicible. La femme est dans le livre profondément liée à la naissance. Puissante dans ce rôle, elle l'est aussi dans son refus ou sa perte de la maternité : « l'enfant hanté d'amour voleta/sous le galetas » (p. 52),

« la paria ses restes roula/qu'il repose en chat/pauvre corps sans sépulture/hormis le secours des livres » (p. 56). L'enfant devient fétiche dans le poème au même titre que les livres, perpétuation des signes du féminin et du masculin. L'enfant est dépourvu de la parole que lui redonne symboliquement le poète. Celui-ci parcourt la littérature écrite et orale sur les traces d'Antigone enterrant son frère et de la reine baoulé qui jeta son enfant dans le fleuve pour sauver son peuple, deux mythes fondateurs. Telle la cantadora de Clarissa Pinkola Estès[8], La Loba, qui rassemble les os des créatures la nuit, et qui se reconstitue par le chant tout en veillant sur leur mémoire qu'elle fait resurgir, le poète descend aux mythes et rassemble des images hybrides de femmes. En les rappelant à notre mémoire, ces deux femmes, l'une qui criait non à Créon, et l'autre qui dit oui pour son peuple et cria tout bas, le poète les replace à l'origine du monde, monde fondé sur leur sacrifice. Antigone perdit la vie, la reine baoulé la parole. Deux princes ensevelis, sur lesquels reposent nos mondes divers, perdus : « nous allons aux Indes comme des marchandises/ [...] l'odeur de chair brûlée effleure maintenant/le monde/nous ne parlons pas la même langue/et tes règles se sont tues » (p. 66). De ces femmes, le poète se reconnaît : « nous portons le nom de ton enfant mort » (p. 70).

« La phrase », ou la langue, occupe un rôle dans le poème. Phrase-livre des cris oubliés : cris de râle et de mort, cris de rut ou d'amour, cris d'enfants. Comme si l'Œdipe se revivait presque littéralement, selon les métaphores nécessairement visuelles de Freud, c'est avec la mère nourricière, « vaïna serve mère », que l'enfant-poète vit la découverte de son moi, dans un moment fondateur de l'être parlant : « l'enfant dressé entre tes jambes/à la tombée de la robe/recule devant ce que ton corps/dissimule » (p. 77). Cri muet du corps devant celui, castré, ou plutôt perçu par le petit garçon comme castré, de la mère. La parole peut-elle surgir d'un tel lieu ?

La sœur-amante alanguie au fil des pages, à laquelle le poète dit dans « L'origine du monde » : « dans la coutume du matin/

tu montes la garde auprès de l'écrivain/accroupie en bordure des tamariniers/après l'amour/de tafia lui lava l'aine et les mains» (p. 27), se transforme en présence absente vers la fin du poème «lui-même l'écrivain reculé en ce manque/sans lectrice» (p. 82). Embarquée avec le poète pour une traversée des peaux et de la mémoire collective, porteuse de mort symbolique, elle, «l'Asiate,» disparaît. L'histoire de désir exprime ici la fascination pour l'autre, par ailleurs souillée à son tour par le blanc, en parallèle de l'origine remontant à l'arrivée dans l'île natale.

«La mère est la langue perdue» écrit le poète. Cette absence de la langue maternelle est en fait l'absence des langues maternelles comme Joël Des Rosiers le rappelle dans *Tribu*: «quand la glaise du dire/châtiment du sens/s'ouvre/au long creusement de gerçures étrangères/ainsi/en ma langue/le linceul de vos langues» (p. 80). À cette absence vient s'ajouter le manque de la femme désirée, aimée, qui pousse le poète à l'écriture: «il ne te reste plus qu'à écrire» (p. 87). «La phrase» qui revient comme un leitmotiv dans le poème signifie la fondation de l'écriture. Celle-ci commence là où la peau doit se souvenir, dans l'absence d'un langage pour le corps, ou plutôt dans le langage du corps inassouvi, en proie au désir et au manque. Quelle que soit la position du lecteur envers les théories psychanalytiques freudiennes, le poète est d'une cohérence exemplaire avec l'application qu'il en fait: là où la langue de la mère est perdue, coupée, commence le règne de l'homme, règne œdipien, qui apprend la parole et ses règles dans le désir, désir qui donne naissance à la parole poétique lorsqu'il demeure inassouvi. L'écriture naît bien d'un besoin de réparer la peau, sa mémoire et de retrouver son origine, inlassablement, dans un mouvement spéculaire.

Dans la visite des îles, en seconde partie du poème, l'urbanité fait irruption avec ses violences ordinaires: images fragmentées de taxis, d'avion, de bars, d'hôtels, qui ne sont que la continuation d'une violence plus ancienne et plus charnelle, passerelles de l'Occident à la recherche d'exotisme dans les îles.

Mais l'apaisement a aussi sa place dans le texte, symbolisé notamment par l'union des corps. Cet amour associé au retour vers les îles dans la sérénité renvoie au refus du retour dans l'île natale dans « Le Fracas Des Rosiers » : « je ne retournerai point/ sous la tiédeur des vérandas » (*Métropolis Opéra*, p. 67)[9]. Dans *Savanes*, le retour se fait dans la reconnaissance : « l'ayant reconnue sans jamais l'avoir vue/avant que la ville ne sombre en la mer du Pérou/ heurteront/ses tempes du baiser sous la véranda » (p. 30). L'image évoque le retour de l'enfant prodigue et surtout un continuum entre les textes.

Comme dans ses autres recueils, le poète joue beaucoup sur les sonorités. Par exemple : « et la mer sur eux nus bientôt refermée » (p. 12) ; « sur eux nus ». Trois sons fermés avec au centre ce « eux », son de l'entre-deux, que le poète tente de ramener à la surface. Des sons ouverts les entourent, « mer, » « fer », avec, aux extrémités, des sons fermés qui les enfouissent comme les deux bouts d'une corde sur lesquels on aurait tiré. L'exemple est évocateur d'une île humaine, d'un relief recouvert, noyé, mais dont la forme affleure comme un écueil dissimulé dans la conscience occidentale. Les mouvements des sons antérieurs et postérieurs qui suivent les retraits et les avancées de la langue appellent le flux et le reflux des vagues. Les corps sont enfouis. Comment retrouver leurs traces ? Par l'imaginaire, les reconstituer, les re-tracer sur la page, suggère le texte. On pourrait multiplier les exemples et faire une étude rigoureuse stylistique, topographique et phonétique de chaque vers afin de faire apparaître une géographie du texte en parfaite harmonie avec l'histoire des peuples disparus, fondements de l'absence.

Le poème se révèle être d'une extrême cohérence : chaque fragment peut se lire comme s'il constituait un texte complet. Mais il occupe une place précise dans l'architecture poétique : le morcellement choisi par Joël Des Rosiers dépasse la simple recherche esthétique et renvoie à l'espace géographique des Antilles, que déjà, Césaire comparait à des cicatrices aux contours écorchés. La traversée de la mémoire rejoint le voyage dans l'espace et dans la langue. Le poète n'a rien laissé au hasard. L'esthétique s'unit à l'éthique et à la logique formelle, systématique. La trajectoire du poète, familier des théories médicales, scientifiques, psychanalytiques, cybernétiques et mathématiques qui prêtent au monde littéraire de si nombreuses métaphores, oscille entre l'expression d'une dimension fractale du « je » poétique et l'expression d'une mémoire collective bafouée, fondée sur le désir et le manque d'une possibilité de réintégrer le monde originel. Joël Des Rosiers déconstruit cette dynamique en mettant en relief ses stratégies polysémiques :

> il y eut un blanc à l'origine
> cela relève du malheur [...]
> voilà ce qui restera de nos vies
> il y eut un blanc de mémoire
> nous séjournons dans ce blanc impossible
> à éprouver
> nous portons la langue ennemie (p. 86)

La même cohérence s'applique aux références intertextuelles. Les références à Homère, Césaire, Mallarmé, Saint-John Perse, Stephen Alexis, Daniel Maximin, Bernard Dadié et Maryse Condé entre autres sont transparentes. L'auteur va un peu plus loin encore dans sa manipulation des citations qui s'inscrivent parfois dans le texte de par leur absence particulièrement là où on les attendrait.

Les trois ouvrages parus se font écho, indiquant la cohérence de l'œuvre dans son ensemble. Ainsi déjà dans *Tribu* on pouvait lire une anticipation du voyage colombien : « les caravelles de Colomb n'atteignirent/nulle rive et virent elles voltent/ en le frayage des ombres/Pinta Niña Maria ô putains océanides [...] rendez de vos salures vos esclaves enferrés » (p. 81). De même, Savanes est déjà annoncé par *Métropolis Opéra* : « Ce soir / la sédition de la page hante les savanes de ma mémoire » (« Nomade », p. 28). Max Dorsinville et Jeff Hell ont tous deux fait remarquer « l'antidédicace » de *Métropolis Opéra*: « À toi/ qui geins sous le Tropique/ces vers/ne sont pas dédiés[10] ». Dans *Savanes*, pas de dédicace. Le recueil tout entier est tourné vers l'écoute des voix tues depuis des siècles. L'absence de dédicace annonce le désarroi du poète devant l'échec possible de sa mission: les cris submergés ne peuvent qu'être réinventés ou transposés. Il propose en fait au lecteur de les rejoindre, de s'immerger lui aussi dans le silence des mots brisés. Si j'interprète bien les propos de l'auteur: « il y eut/le lecteur à ensevelir dans le livre/à mi-voix/nous fermons les issues et nous fermons » (p. 17), accomplir le voyage de la lecture et accompagner les traversées de l'holocauste négrier, se fracasser contre la houle des mots, et voir, toucher, entendre la violence du texte, est la condition d'une réconciliation, non avec l'histoire, mais avec l'acceptation thérapeutique de l'impossible retour aux origines, née d'avoir enfin prêté l'oreille. La fin du poème en témoigne:

> la phrase coule comme ne coule
> que la phrase
> c'est le Niger sur nos peaux nues
> nous portons le nom des eaux
> qui frayent dans les sables
> savanes enfin (p. 98)

La douleur de la mémoire, traitée dans la seconde partie du poème, « Mémoire de la peau, » se niche jusque dans les illustrations élégantes de Pierre Pratt, vignettes stylisées sur papier anthracite. Elles évoquent le tatouage dans une mise en abîme graphique où le visuel répond à la voix. Les pages du livre, de couleur sable, sur lesquelles viennent se poser les fragments poétiques, disséminés, sont à la fois texte et image, dessinant des formes, insulaires; elles font écho au texte: « surface de la page les mots sont/peau » (p. 80).

L'hermétisme de certains passages ne retire rien au plaisir de la lecture, que l'on peut faire en soi ou à haute voix pour se laisser porter par la poésie des sons. Le lecteur bute inévitablement sur certains termes, qui confèrent une partie de son mystère au poème. *Savanes* s'offre à de multiples lectures, que l'on se laisse porter par la texture des mots ou que l'on soit à l'affût de la logique fractale du texte. On pressent que ce retour à l'île natale, qui comporte aussi le retour vers le lieu d'habitation hors Haïti, ne sera pas définitif, que l'acte de désensevelir la parole des corps étouffés ne s'enracinera pas dans la terre d'origine. Plutôt, l'itinéraire du retour est prometteur d'une moisson de voyages à venir, il annonce une itin/errance. Gageons aussi que *Savanes* n'est qu'un prélude déjà entamé depuis *Métropolis Opéra* en ce qui concerne la recherche de la langue maternelle perdue. Si c'est bien par Vaïna que s'est transmise la voix, peut-être l'entendrons-nous parler. Peut-être aussi, la femme-lectrice lovée à l'intérieur du poème, veillant sur le poète, écrira-t-elle à son tour, femme-palimpseste. Le travail archéologique du poète s'y prête. La lectrice disparue des pages sera remplacée par des lecteurs et lectrices, séduits à leur tour, embarqués dans une langue traversée de poésie.

Joëlle Vitiello
Macalester College

Notes

Préface

Œuvres citées

Antoine, Régis, *La littérature franco-antillaise. Haïti, Guadeloupe et Martinique*, Paris, Karthala, 1992.

Bhabha, Homi K., *The location of culture*, London/New York, Routledge, 1994.

Bernabé, Jean, Patrick Chamoiseau, Raphaël Confiant, *Éloge de la créolité*, Paris, PUC/Gallimard, 1989.

Chamoiseau, Patrick, *Texaco*, Paris, Gallimard, 1992.

Des Rosiers, Joël, *Métropolis Opéra*, Montréal, Triptyque, 1987.

——, *Tribu*, Montréal, Triptyque, 1990.

——, *Savanes*, Montréal, Triptyque, 1993.

——, « Le XXIe siècle sera tribal », *Tribune Juive*, 11.6., avril 1994, 20-23.

——, « L'effet d'ex-île : contre Prophète », *Collectif Paroles*, 1987, n° 32.

——, « Mourir est beau », *Dérives*, n°s 53/54, 1986/1987, numéro spécial consacré à *Frankétienne. Écrivain haïtien*, s.l. dir. de Jean Jonassaint, Montréal.

——, « Interview », *Callaloo*, 15.3, 1992, Special Issue on Haitian Literature and Arts.

Eco, Umberto, « Gisement culturel », *Traverses*, n° 5, 1993.
Glissant, Édouard, *Les Indes*, Paris, Seuil, 1965, coll. « Points ».
——, *Poétique de la Relation*, Paris, Gallimard, 1990.
——, *Introduction à une Poétique du Divers*, Montréal, Presses de l'Université de Montréal, sept. 1995.
Lionnet, Françoise, *Postcolonial Representations. Women, Literature, Identity*, Cornell UP, 1995.
Marimoutou, Jean-Claude Carpanin, « L'exote exotique. Entre récit exotique et roman colonial », *L'exotisme*, Paris, Didier Erudition/ CHRL/CIRAO, n° 5, 1988, 259-266.
Morrison, Toni, « Nobel Lecture 1993 », *World Literature Today*, n° 68, 1994.
Newman, Judie, *The Ballistic Bard. Postcolonial Fiction*, London, Arnold, 1995.
Said, Edward, *Manifestations of the Intellectual*, 1994, ** trad. néerlandaise, 1995.
Todorov, Tzvetan, *La conquête de l'Amérique*, Paris, Seuil, 1982.
——, « "Race", Writing and Culture » *in Race, Writing and Difference*, ed. by Henry Louis Gates, Chicago, The University of Chicago Press, 1986, p. 370-380.
Vitiello, Joëlle, « *Savanes* de J. Des Rosiers », brochure de presse.
Walcott, Derek, 1995, « The Antilles: Fragments of Epic Memory. Nobel Lecture, 7 December 1992 », *Georgia Review*, 49.1, p. 294-306.

1. Voir Umberto Eco dans *Traverses* n° 5, 1993.

2. *Poétique de la Relation* et *Introduction à une Poétique du Divers*, publication de 4 conférences où est intervenu d'ailleurs Des Rosiers. Voir p. 55 *et passim.*

3. Edward Said, *Manifestations of the Intellectual*, 1994, trad. néerlandaise 1995, p. 80-2, donnant par ailleurs des exemples caribéens : les Trinidadiens C.L.R. James et V.S. Naipaul.

4. *Métropolis Opéra*, *Tribu*, *Savanes* sont abrégés en M, T, S, suivis de la page de la citation.

5. Judie Newman, *The Ballistic Bard*, 1995, p. IX.

6. *Ibid*, p. 3.

7. « The perceptual (and cognitive) anxiety that accompanies the loss of "infrastructural" mapping becomes exacerbated in the postmodern city, where both [the] "knowable community" and [...] the "imagined community" have been altered by mass migration and settlement. Migrant communities are representative of a much wider trend towards the minoritization of national societies. » Homi K. Bhabha, *The location of culture*, 1994, p. 221

8. Image qui a beaucoup fasciné Glissant, voir son article dans le *Courrier* de l'Unesco, numéro spécial consacré aux créoles.

9. Homi K. Bhabha, *The location of culture*, 1994, p. 4-5.

10. Voir son entretien avec Ghila B. Sroka, « Le XXIe siècle sera tribal », dans *Tribune Juive*, vol. 11, n° 6, avril 1994, p. 20.

11. Homi K. Bhabha souligne cette même nécessité dans le chapitre final de *The location of culture*: « How Newness enters the World. Postmodern Space, postcolonial times and the trials of cultural translation » (*The location of culture*, 1994, p. 212-235).

12. Régis Antoine, *La littérature franco-antillaise, Haïti, Guadeloupe et Martinique*, 1992, chap I : « Paroles perdues de l'Indien et du nègre marron ».

13. Anaphore qui revient à plusieurs reprises en position liminaire des poèmes, et qui trouve sa quintessence au passé simple, dans les poèmes les plus courts. « il y eut/pleine lune/dessus la Nubie » (S21) ; « il y eut/que le monde s'empara/ de nos peaux/le soleil tomba dans l'amour/l'amour nous tomba au ventre » (S29). « Il y eut/d'un corps l'octroi des mains pures/[...] » (S17) ; « il y eut/la chair venue entre les feuilles/la soif suintée de terre » (S27).

14. La savane foyolaise rejoint le sens originel annoté par le poète : espace autrement inhabité, non colonisé, espace d'avant toute appropriation territoriale, d'avant toute violation et toute souillure, mais que le colon s'appropriera, bientôt maître de tout l'espace insulaire. Dans *Texaco* (Patrick Chamoiseau, 1992, p. 180-1), la protagoniste précise que Fort-de-France fut à l'origine « un camp dressé sur la savane », « une ville à soldats, raide au centre d'une mangrove ».

15. Ce paratexte participe d'une discursivité proprement créole : de plus en plus présent et varié dans l'écriture antillaise (voir les romans de Glissant, de Chamoiseau et de Condé), et postmoderne (voir Toni Morrison, 1994). Le paratexte préfaciel, p.e., ne cesse de dire pour qui et de qui écrivent ces auteurs « périphériques » (Jean-Claude C. Marimoutou, 1988), connexion entre une littérarité dominante et une littérature dominée, entre le canon européen et la périphérie caribéenne, entre l'Histoire eurocentriste et la contre-histoire antillaise.

16. Marie LeFranc, *La Randonnée passionnée.*

17. Toni Morrison, « Nobel Lecture 1993 », *World Literature Today*, 1994, n° 68, p. 6.

18. « mornes » (S28), « gommiers », « calebassiers » (S35) évoquent l'univers caraïbe et créole.

19. Ici, le ton est sentencieux et l'allitération insistante (« Qui s'avance dans la savane s'avancera seul » [S85]), là, la réversion dans la syntaxe comparative produit un effet d'antithèse, produisant des métaphores sur le verbe : « la phrase coule comme ne coule que la phrase » (incipit du poème final S98) et « l'herbe tremble comme ne tremble que le vent » (S93).

1 L'effet d'ex-île : Jean Métellus hors la clôture insulaire contre Jean Prophète

1. Jean Reverzy, *Le mal du soir*, Arles, Actes Sud, 1986.

2. Jean Prophète, « La Parole prisonnière, un cas de récidive », *in Haïti-Observateur*, p. 13 et 23, 7 nov. 1986.

3. Jean Métellus, *La Parole prisonnière*, Paris, Gallimard, 1986, p. 13 et 14.

4. *Idem*, p. 17.

5. Serge Soupel, Roger Hambridge, *Literature and Science and Medicine*, Williams Andrews Library, California, 1982, p. 31.

6. Jean Jonassaint, *Le pouvoir des mots, les maux du pouvoir*, Montréal, l'Arcantère/Presses de l'Université de Montréal, 1986, p. 234.

7. Oxymoron : antithèse verbale formant la structure de base de chaque mythe humain. Illustré par le microscope qui nous aide à découvrir les particules minuscules qui composent un objet.

8. Joël Des Rosiers, *Métropolis Opéra*, poèmes, Montréal, Éditions Triptyque, 1987.

9. MOMA, *Primitivism in the XXth century*, Williams, New York, 1983.

10. Octavio Paz, *Le Monde des livres*, nov. 1986.

11. Émile Ollivier, *Le Devoir*, 15 nov. 1986, p. C-4.

12. Robert Berrouët-Oriol, « Les avatars de l'errance urbaine », *in Vice Versa*, mars 1986.

3 Les fruits piqués du réalisme merveilleux

1. René Girault, *Peuples et nations d'Europe*, Hachette, 1996.

4 Opus nigrum ou éloge de la douleur

Œuvres citées

Marguerite Yourcenar, *L'Œuvre au noir*, Œuvres romanesques, Bibliothèque de la Pléiade, Paris, Éditions Gallimard, 1989.

« Psychiatrie, Psychanalyse aux Antilles ? », Revue *Le Carbet*, n° 11, 1991.

Sébastien Joschim, *Le Nègre dans le roman blanc*, Montréal, Les Presses de l'Université de Montréal, 1980.

Borges, *Cahiers de l'Herne*, 1981.

Jean Larose, *La Petite noirceur*, Montréal, Boréal, 1987.

1. Gérard Étienne, Montréal, L'Hexagone, 1991, 258 p.

5 Figures de la maternité chez Frankétienne

1. Masson, J. *The Complete Letters of Sigmund Freud to Wilhelm Fliess 1887-1904*, Belknad Harvard, 1985.

2. Frankétienne, *Les Affres d'un défi*, 1975, *Fleurs d'Insomnie*, 1986.

3. S. Garner, C. Kahane, M. Sprengnether, *The (M)other Tongue*, essays in Feminist Psychoanalytic Interpretations, Columbia University Press, 1985.

4. D. W. Winnicott, *Playing and Reality*, New York Basic Books, 1971, p. 107 et suivantes.

5. Mélanie Klein, *Love, Guilt and Reparation*, p. 334.

6. Réminiscence des pratiques des mères-esclaves (infanticides, avortements) pour soustraire leurs enfants à la cruauté des colons.

7. « Il me faut la peau d'un blanc pour parchemin », Boisrond-Tonnerre, Proclamation de l'Indépendance d'Haïti, 1804. Boisrond-Tonnerre dont le père était blanc. Le père de Frankétienne est aussi un Blanc américain.

8. Durant la période coloniale, quelques planteurs de Saint-Dominique ont bravé le Code Noir. Malgré les interdits de la loi Colbert, ils ont reconnu leurs enfants métis et les ont envoyés en France terminer leur éducation. Un exemple célèbre est celui de Nicolas Malet, mon aïeul, colon révolutionnaire, signataire de la Proclamation de l'Indépendance d'Haïti.

9. Roland Barthes, *Le Plaisir du texte*, Paris, 1973.

10. Stéphanie Zagdansky, *Sur Proust*, Paris, Gallimard, 1994.

6 Médecin et littérateur : Stanley Lloyd Norris

1. Frère Marie-Victorin, *« Menaud, maître-draveur » devant la nature et les naturalistes*, ACFAS, vol. 4, 1938.

2. ACFAS, vol. 5, 1939, p. 144-145.

3. Simon Schama, *Landscape and Memory*, Toronto, Random House, 1995.

4. Frère Marie-Victorin, Discours présidentiel, Congrès de l'ACFAS, *La Science et notre vie nationale*, Annales de l'ACFAS, vol. 5, 1939, Montréal.

5. Cette structure m'a été inspirée par l'étude de Hilligje van't Land, « Le Québec de l'Éthiopie à la Californie : l'histoire d'une

colonie dans les romans de Jacques Godbout» *in Culture et Colonisation en Amérique du Nord*, Sillery, Éditions du Septentrion, 1994, p. 265.

6. John James Audubon, *Journal du Missouri*, (1843) Paris, La Table ronde/Les Matins du monde, 1990.

7. Bibliographie de Stanley Lloyd Norris: *L'Interdit*, Montréal, Éditions Libre Expression, 1991; *La Pucelle*, Montréal, Éditions Libre Expression, 1993; *L'Homme qui décrocha la lune*, Montréal, éditions JCL, 1995.

10 Le crime des crimes: littérature et politique

1. Jacques Stephen Alexis, médecin, poète et romancier haïtien. Mort assassiné sous la dictature de Duvalier.

2. Revues culturelles et politiques publiées durant la décennie 70-80 à Montréal par des membres de l'intelligentsia haïtienne immigrée au Québec.

11 Mourir est beau
La pulsion de mort dans l'inconscient collectif haïtien

Œuvres citées

Apollon, W., *Le Vaudou. Un espace pour les « voix »*, Paris, Galilée, 1976.
Chamoiseau, P., *Chronique des sept misères*, Paris, Gallimard, 1986.
Hegel, G., *Morceaux choisis* II, Paris, Gallimard, 1968.
Kolakowski, V., *L'Esprit révolutionnaire*, Paris, Denoël, 1978.
Labrousse, B., *De l'Idéologie dominée*, Montréal, Nouvelle Optique, 1978.
Lacan, J., *L'Éthique de la psychanalyse*, Paris, Seuil, 1986.
Laplanche, J. *et al.*, *Vocabulaire de la psychanalyse*, Paris, PUF, 1967.
Malamoud *et al.*, *Corps des dieux, Le temps de la réflexion*, Paris, Gallimard, 1986.
Mannoni, N., *Théorie comme fiction*, Paris, Seuil, 1979.

Roudinesco, E., *Histoire de la psychanalyse* II, Paris, Seuil, 1986.
Steiner, G., *Les Antigones*, Paris, Gallimard, 1986.

1. La révolte à Saint-Domingue eut pour point de départ historique la conjuration des esclaves de Port-Salut en janvier 1791 réclamant trois jours de liberté par semaine. Si les Blancs refusaient, « ils devaient tomber sur eux et les massacrer ». Fondation du patrimoine des Cayes, *Cahiers du patrimoine*, sous la direction de Dennery Menelas, 1996.

12 Science du poème

1. Jacqueline Royer, « Les instruments du silence suivi de Corps écrit : le thème du corps dans l'œuvre de poètes médecins du XXe siècle », Département d'études françaises, mémoire présenté à la Faculté des études supérieures, Université de Montréal, août 1993. Anthologie commentée d'œuvres poétiques de sept écrivains médecins : William Carlos Williams, Gottfried Benn, Victor Segalen, Lorand Gaspar, Joël Des Rosiers, Rutger Copland et Claude Faïn.

2. Dans la mythologie grecque, Prométhée est un personnage de la race des Titans, l'initiateur de la première civilisation humaine.Il déroba dans le ciel le feu sacré et le transmit aux humains. Zeus, pour le punir, l'enchaîna sur le Caucase, où un aigle lui rongeait le foie, qui repoussait sans cesse. Héraclès le délivra. Ce mythe a inspiré de nombreuses œuvres littéraires.

3. Par exemple, autour de Cuba pullulent plus de 1600 îles : de quoi parcourir sur les traces d'Ernest Hemingway un chemin initiatique sans fin.

4. Sigmund Freud, *Un type particulier de choix d'objet chez l'homme*, G. W., VI II, traduction de Jean Laplanche, Bibliothèque de psychanalyse, Paris, PUF, 1982.

13 Gouverneurs de l'hiver
Marronnage et littérature postnationale

1. Thomas Sowell, *Migrations and Cultures, A World View*, New York, Basic Books, 1996.

2. Nina Glick Schiller, « The Implication of Haitian Transnationalism », *Journal of Haitian Studies*, Volume 1, Number 1, Spring 1995, p. 111-120.

3. Max Dorsinville, *Caliban without Prospero, essay on Quebec and Black literature*, Érin, Ontario, Press Porcepic, 1974.

4. Le poète Robert Oriol fut le premier à proposer le concept de *littérature migrante*, approche théorique reprise et approfondie par Robert Fournier, Pierre Nepveu, Simon Harel, Sherry Simon.

5. Léon Grinberg, Rebecca Grinberg, *Psychoanalytic Perspectives on Migration and Exile*, London et Haven, Yale University Press, 1989.

6. Jacques Ferron, *Historiettes*, Montréal, Éditions de l'Homme, 1964.

7. Robert E. Peary, *The North Pole*, Londres, Hodder and Stoughton, 1910.

8. Ishmael Reed, *Flight to Canada*, New York, Atheneum, 1989.

9. Nina Glick Schiller, *op. cit.*

10. Neil Bissoondath, *Le Marché aux illusions*, Montréal, Boréal, 1995.

11. *Other Solitudes, Canadian Multicultural Fictions*, édité par Linda Hutcheon et Marion Richmond, London, Oxford University Press, 1990, p. 315.

12. C.L.R. James, *The Black Jacobins*, New York, Random, 1963, p. 416.

13. *C.L.R. James. His Intellectual Legacies*, edited by Selwyn R. Cudjoe and William E. Cain, Boston, University of Massachussets.

14. Sous l'Occupation américaine, le « marine » qui devenait un officier de la gendarmerie bénéficiait d'un pouvoir pratiquement illimité et était appellé *papa blanc*. Hans Schmidt, *The United States*

Occupation of Haïti, 1915-1934, New Brunswick (New Jersey), Rutgers UP, 1995.

15. Qui se reflète également dans la toponymie populaire, non officielle, le bidonville de Port-au-Prince s'appelant poétiquement « Cité Soleil ».

16. Alfred Métraux, « Haïti Poètes Noirs, Civilisation noire en Haïti, Les Paysans Haïtiens », *Présence Africaine*, n° 12, 1951, p. 112-135.

17. La miniaturisation emprunte au vocabulaire technologique les concepts de légèreté, de mobilité, de déracinement.

18. Durant la construction de la bibliothèque de Weimar, Goethe disait à ses compatriotes : « Soyez de meilleurs individus, plutôt que de vouloir bâtir une nation. »

19. Jackie Robinson fut le premier joueur de baseball à briser la barrière raciale à Montréal en 1946.

20. Le système colonial de discrimination raciale a constitué la base de la rivalité entre noirs et mulâtres. La stratification sociale était fondée sur la couleur de l'épiderme et les normes somatiques caucasiennes. Ces éléments constituèrent un facteur des luttes ethniques durant les guerres civiles et les périodes d'instabilité politique.

21. Lise Gauvin, « Glissements de langues et poétiques romanesques : Poulin, Ducharme, Chamoiseau », *Littérature*, n° 101, fév. 1996.

22. Léon Grinberg, M.D. et Rebecca Grinberg, M.D., *Psychanalytic Perspectives vs. Migration and Exile*, New Haven et London, Yale University Press, 1989.

23. Dany Laferrière, *Comment faire l'amour avec un nègre sans se fatiguer*, roman, Montréal, VLB, 1985.

24. Maximilien Laroche, *Grelca*, collection « Essai », n° 13, 1996, p. 65-76.

25. Patrick Chamoiseau, Raphaël Confiant, *Lettres créoles, Tracées antillaises et continentales de la littérature 1635-1975*, Paris, Hatier, 1991.

26. Sigmund Freud, *Totem et Tabou*, Paris, PBP n° 77, 1983.

27. Je remercie Kathleen Gyssels pour sa précieuse collaboration dans la rédaction de cette étude.

28. Edwidge Danticat, *Krik ? Krak !*, New York, Random House, 1995.

Postface

Œuvres citées

Deleuze, Gilles et Félix Guattari, *Rhizome, introduction*, Paris, Éditions de Minuit, 1976.

Des Rosiers, Joël, *Métropolis Opéra*, Montréal, Triptyque, 1987.

——, *Tribu*, Montréal, Triptyque, 1990.

——, *Savanes*, Montréal, Triptyque, 1993.

——, Entretien avec Ghila B. Sroka, « Le XXIe siècle sera tribal », *Tribune Juive*, vol. 11, n° 6, avril 1994, p. 20-23.

Dorsinville, Max, *Solidarités*, Montréal, Éditions du CIDHICA, 1988.

Estès, Clarissa Pinkola, *Women who Run with Wolves*, New York, Ballantine Books, 1992.

Glissant, Édouard, *Poétique de la relation*, Paris, 1990.

Hell, Jeff, *Le Nouvelliste*, Port-au-Prince, 10 novembre 1991.

Kristeva, Julia, *La Révolution du langage poétique*, Paris, Seuil, 1974.

Robin, Régine, *Le Roman mémoriel*, Montréal, les Éditions du Préambule, 1989.

Vitiello, Joëlle, « *Savanes* », *Lettres québécoises*, hiver 1993, p. 37-38.

1. « La parole de l'écrivain, c'est une pulsion d'écrire qui cherche à déconstruire la langue maternelle. Sans doute est-ce la langue qui est la mère perdue, » dit l'auteur dans un entretien avec Ghila B. Sroka dans *Tribune Juive*, vol. 11, n° 6, avril 1994, p. 20-23. Cette citation est également un vers de *Savanes*. Par ailleurs, une version beaucoup plus courte et différente de ce texte a déjà paru dans *Lettres québécoises*, hiver 1993, p. 37-38.

2. Intervention de Joël Des Rosiers au colloque international sur la francophonie organisé par le CALIFA à Ottawa, 22-24 octobre 1993.

3. J'emprunte ici ce terme à Régine Robin qui l'a si bien introduit comme concept dans *Le Roman mémoriel*, Montréal, Les Éditions du Préambule, 1989.

4. Voir ici l'outil conceptuel qu'est devenu le « rhizome » de Gilles Deleuze et Félix Guattari présenté dans *Mille Plateaux*, concept repris et appliqué par Édouard Glissant dans *Poétique de la relation.*

5. Joël Des Rosiers développe lui-même l'aspect symbolique et psychanalytique de ce rapport des sexes à la langue et à la parole dans l'entretien qu'il a accordé à la *Tribune Juive*: « La distance par rapport à la langue maternelle devient salutaire, alors que c'est du côté du père que va s'établir la question du travail de la langue, de la soumission à la grammaire, à la syntaxe, à la Loi. » (22)

6. Voir l'entretien de Des Rosiers dans *Tribune Juive.*

7. Voir en particulier *La Révolution du langage poétique*, Paris, Seuil, 1974.

8. Voir Clarissa Pinkola Estès, *Women who Run with Wolves*, New York, Ballantine Books, 1992, pour une interprétation jungienne des archétypes féminins.

9. Voir à ce sujet la remarque de Max Dorsinville dans *Solidarités* qui y voit un refus temporaire.

10. Voir *Le Nouvelliste* du 10 novembre 1991 et le chapitre consacré au poète, « Joël Des Rosiers et l'esthétique métropolitaine » dans *Solidarités* de Max Dorsinville.

Table des matières